D0292982

Les éditions  du soleil de minuit

3560, chemin du Beau-Site, Saint-Damien-de-Brandon (Québec) J0K 2E0

Étienne Poirier

Quand Mamadi est entré dans ma vie, j'avais vingt ans et je suivais un cours sur les contes à l'université. Ça t'étonne ? Eh bien oui ! Les contes aussi ça s'étudie, surtout quand, comme moi, on adore ça. Je ne l'ai pas reconnu tout de suite, il faut dire qu'il s'était fait discret. Mais tout de même, il a pris le temps de me faire comprendre qu'un jour j'écrirais son histoire.
Puis je l'ai oublié.
Mais il est réapparu un matin sans que je m'y attende. C'était quatre, peut-être cinq ans plus tard. J'étais devenu professeur de français et, accoudé près de la machine à café dans le salon des enseignants, je discutais avec un nouveau collègue. Cet homme vivait au Québec depuis peu de temps et j'avais envie de le connaître, savoir d'où il tenait son accent, ce genre de choses, tu vois ? Mamadi s'est installé entre mon interlocuteur et moi, et a tendu l'oreille attentivement. Il a écouté l'aventure de mon nouvel ami et a appris en même temps que moi que cet homme souriant avait vécu une guerre civile et avait séjourné dans des camps de réfugiés avant d'arriver ici. Des épreuves qui, aussi difficiles soient-elles, n'avaient pas réussi à lui ôter son sourire. Mamadi m'a regardé et m'a fait comprendre que, cette histoire, c'était un peu aussi la sienne. J'ai promis de l'écrire.
Malheureusement, j'étais déjà occupé à d'autres projets et, avec le travail, mes deux enfants, les chats… Ce n'est pas que je négligeais de tenir ma parole, c'est juste que, parfois, le temps manque.

Puis il est revenu un jour où j'étais moins occupé et m'a rappelé la promesse que j'avais faite. Je venais d'apprendre qu'une famille amie de la mienne traversait une épreuve des plus tragiques, un véritable cauchemar. Mais ces gens avaient toujours ce petit quelque chose qui brille au fond de l'œil, cet éclat qui fait comprendre que demain est un trésor. Et Mamadi était là. J'ai compris que cette histoire aussi était un peu la sienne.

Ça m'a touché.

J'ai réagi comme le font les écrivains : j'ai saisi mon crayon et je me suis mis à l'écrire, sa vie. J'ai noté son courage, sa force, mais surtout son sourire et sa joie de vivre qui semblaient inépuisables, et je lui ai demandé : «Qu'est-ce qui te fait courir, mon petit bonhomme ?» Il n'a pas répondu. Il s'est contenté de sourire et m'a renvoyé à mon ouvrage.

Après *La clé de la nuit* (sélectionné par Communication-Jeunesse en 2009) et *L'envol du pygargue* (finaliste au prix Québec/Wallonie-Bruxelles de littérature pour la jeunesse en 2011), *Qu'est-ce qui fait courir Mamadi ?* est mon troisième roman pour la jeunesse.

Du même auteur,
aux Éditions du soleil de minuit :

Collection roman jeunesse
L'envol du pygargue, 2009.
La clé de la nuit, 2008.

Collection album du crépuscule
La malédiction de Carcajou, 2012.

Étienne Poirier

Qu'est-ce qui fait
courir Mamadi ?

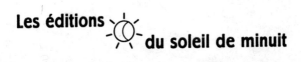
Les éditions du soleil de minuit

Les éditions du soleil de minuit remercient

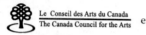

Le Conseil des Arts du Canada
The Canada Council for the Arts

et la

**Société
de développement
des entreprises
culturelles**

Québec ✚ ✚

de l'aide accordée à leur programme de publication.

Les éditions du soleil de minuit bénéficient également du
Programme de crédit d'impôt pour l'édition de livres — Gestion
SODEC — du gouvernement du Québec.

Illustration de la page couverture : Jessie Chrétien
Montage infographique : Atelier LézArt graphique
Révision linguistique : Caroline Bourgault-Côté
Correction des épreuves : Anne-Marie Théorêt

Dépôt légal, 2013
Bibliothèque et Archives nationales du Québec
Bibliothèque et Archives Canada

**Catalogage avant publication de Bibliothèque et Archives
nationales du Québec et Bibliothèque et Archives Canada**

Poirier, Étienne, 1974-

        Qu'est-ce qui fait courir Mamadi ?

        (Roman jeunesse)
        Pour les jeunes de 10 ans et plus.

        ISBN 978-2-924279-04-5

        I. Titre. II. Collection: Roman jeunesse (Saint-Damien,
Québec).

PS8631.O369Q47 2013   jC843'.6 C2013-941860-1
PS9631.O369Q47 2013

Merci à Nathalie, mon amour,
dont les conseils remplacent
le talent quand il fout le camp.

À Louis-Matis, Ludovic,
Alin, Marie-Sol…

À Évariste, Mecthilde, Évelyne

et à tous ceux qui usent
leurs souliers sur les routes.

«Le réel exil commence lorsque le présent est confisqué. Quand on est condamné à rêver le temps d'avant et attendre l'avenir.»

Chawki Abdelamir

Qu'est-ce qui t'inquiète, papa ?

— Rien, mon fils, ce n'est rien.

Le père n'a manifestement pas envie de répondre à son garçon. Mamadi n'est pas dupe. Il sait que les adultes ont parfois l'habitude d'éviter les questions, surtout quand elles sont importantes. Il est convaincu que quelque chose tracasse son père, qu'une idée fait les cent pas dans sa tête. Mais il accepte son silence.

C'est l'heure du repas. Mamadi, qui a huit ans depuis quelques jours à peine, est assis avec ses parents à l'intérieur de leur case et attend que le repas soit servi. Dedans, il fait frais malgré la chaleur de la journée. Un doux parfum d'épices embaume l'unique pièce de la maison de terre. Une toute petite table, quelques meubles d'utilité et deux lits, l'un grand et l'autre d'enfant, occupent la petite demeure que Mamadi habite avec son père et sa mère.

La mère de Mamadi, elle, est une grande et belle jeune femme qui a toujours le sourire aux lèvres. La blancheur de ses dents trace une constellation d'étoiles qui luit sur sa peau noire. Ses yeux sont des joyaux brillants et son rire rappelle le chant des oiseaux. D'un geste attentionné, elle sert le riz et la sauce aux arachides, que Mamadi adore, au creux de sa gamelle et la lui remet.

— Tiens, mange, mon garçon.

Mamadi ne se fait pas prier et avale son repas.

— Raconte un peu ta journée, demande sa mère.

— Il n'y a pas grand-chose à dire. J'ai vu un serpent sur le chemin de l'école.

Puis, il retourne à son assiette.

— C'est bien intéressant ça, Mamadi, mais ce que nous voulons savoir, ton papa et moi, c'est ce qui s'est passé à l'école avec monsieur Koité.

Monsieur Koité, c'est l'instituteur de Mamadi. Un vieil homme de l'école française et qui est strict et autoritaire comme la crosse d'un berger. Tiens! Encore aujourd'hui, il a surpris Mamadi à rêvasser durant une leçon de grammaire. «Dites-moi, monsieur Mamadi, est-ce que je vous ennuie?» a-t-il demandé. Puis, il a enchaîné : «Revenez avec nous sur la terre des vivants, vous commencez à nous manquer.» Personne n'a ri de la remarque — sur le coup, du moins — à cause de l'intimidante autorité du professeur. Mais dans la cour et sur le chemin du retour, il s'est trouvé des élèves pour se moquer et faire une comptine que Mamadi a encore dans la tête.

> *Mamadi revient des morts*
> *Mamadi chez les vivants*
> *Mamadi, serait-ce la mort*
> *Qui fait courir Mamadi?*

Et ça continue comme ça.

Sans arrêt.

Rien qui donne envie à Mamadi de s'étendre sur le sujet et de risquer de revivre cet affreux épisode. Elle est bien où elle est, cette comptine, et plus vite elle sera oubliée, mieux ça vaudra.

— Ça s'est bien passé. On a eu une leçon d'orthographe. Une autre de calcul.

Mamadi n'aime pas mentir, mais, parfois, le silence suffit pour acheter la paix. Alors, il fait comme son père : il passe l'histoire de la comptine sous silence et se concentre sur son riz à la sauce aux arachides. Il ignore que ce sera la dernière fois avant longtemps qu'il quittera la table l'estomac bien rempli.

Mamadi n'a ni frère ni sœur. Il est le seul enfant de la famille. Son père travaille pour un éleveur dont il garde les vaches. Il les mène au pâturage tous les jours et les ramène chez son patron tous les soirs. Sa mère, elle, s'occupe de lui, de la maison et lui fait réciter ses leçons. Elle est comme ça, la vie de Mamadi. Toute simple.

— Va jouer un peu dehors, papa et moi devons discuter. Je sortirai te chercher tout à l'heure pour ton histoire avant de dormir. Allez! Va et sois sage.

Mamadi s'essuie le coin de la bouche et sort.

Mais il est inquiet. Il se questionne encore sur ce qui tracasse son père. Il se demande ce dont, justement, veulent discuter ses parents. Et pourquoi il ne peut pas entendre ce qu'ils ont à se dire. Alors, au lieu de prendre son ballon et de courir au centre du village pour y chercher des amis avec qui jouer les Didier Zokora ou les Salomon Kalou, il le laisse là, inerte sur le sol à côté de la porte de sa demeure, et s'accroupit près du seuil, songeur.

À l'intérieur, les adultes parlent gravement.

— Ils sont venus aujourd'hui, fait la voix du père de Mamadi, et ils ont prévenu qu'ils reviendraient pour prendre des bêtes.

Silence.

— Et ton travail?

Sa mère s'inquiète.

Mamadi attrape un bout de bois qui traine sur le sol et trace des lignes dans le sable.

— Si je n'ai plus de vaches à garder, continue son père, je n'aurai plus de travail. Mais il y a encore pire…

— Que peut-il y avoir de pire qu'un homme sans travail?

— Il y a ça : ils ont dit aussi qu'il leur faudrait des hommes, justement. Plus d'hommes encore et que tous devraient faire un effort, se sacrifier pour la cause, gonfler les rangs de leur armée… La cause, tu parles! Ils osent appeler ça une cause!

Mamadi n'entend pas tout ce que se disent ses parents. Or, il comprend qu'ils sont inquiets, très inquiets. Ils parlent de rebelles, d'armes et du gouvernement, des élections qui ont été truquées; ils prononcent des mots qui ne veulent pas dire grand-chose pour un enfant, mais qui semblent apeurer les adultes.

Une fois la discussion terminée, la mère de Mamadi sort de la case pour l'appeler. C'est à ce moment qu'elle le trouve assis près de la porte, sur le sol bariolé de sillons.

— Tu as tout entendu, n'est-ce pas? fait-elle en s'agenouillant près de lui.

Mamadi fait oui de la tête.

— Et ça t'inquiète?

Il acquiesce.

— Tu n'as pas à t'inquiéter. Ton père nous protège et veille sur nous. Il n'y a pas de tempête assez forte ni de mal assez grand pour venir à bout de lui, tu sais. Il est fort, ton père. Et sage aussi. Il est comme cet arbre là-bas. Tu vois ce grand arbre au milieu du village?

Mamadi fait oui. Un arbre énorme se dresse au centre d'une petite place cernée de maisons comme la sienne. Autrefois, les gens s'y attroupaient pour écouter les conseils des sages. Il aimerait bien croire les paroles réconfortantes de sa mère, pourtant la voix de son père était tantôt si inquiète…

— Allez ! Il est tard et c'est l'heure de rentrer te coucher.

Mamadi se lève et suit sa mère à l'intérieur.

Sous l'arbre à palabres

Mamadi adore les histoires de sa mère. Ce soir, elle raconte celle d'un homme important, un griot très puissant qui imposait le respect par sa voix, il y a longtemps.

— Cet homme connaissait la magie et tous les secrets utiles pour soigner et guider les gens du village. Plusieurs venaient le trouver sous l'arbre à palabres pour chercher conseil et pour régler le sort du monde. Il pouvait prédire l'avenir d'un mariage, le sexe d'un enfant à naitre, l'issue d'une dispute. Les habitants respectaient sa parole et personne n'osait l'interrompre tant ses mots étaient bons et sages. On raconte qu'un jour des oiseaux jaloux de l'attention que tous lui portaient s'étaient mis en tête de supplanter sa voix avec leur chant. Ils avaient ourdi une sorte de rébellion. Ils avaient attendu que le sage commence son histoire et étaient venus se percher en silence dans les branches de l'arbre à palabres. D'abord, ils n'étaient que quelques-uns, mais sans cesse d'autres arrivaient. Bientôt, ils furent si nombreux qu'on n'arrivait plus à les compter. On aurait cru qu'ils écoutaient eux aussi les paroles du griot, mais il n'en était rien. Profitant d'une pause dans le discours du vieil homme, un oiseau émit un gazouillis. Et alors que le sage tentait de reprendre son conte, les autres oiseaux se mirent à piailler si fort que plus personne ne parvenait à entendre les mots du vieillard. Or, ce dernier n'en avait cure et continuait à dire ce qu'il avait à dire. Soudain, le plus improbable arriva. Un oiseau chancela, tomba de sa branche et s'écrasa sur le sol. Puis, un autre. Et encore un autre. Bientôt, la terre autour de l'endroit où était assis le griot fut recouverte d'un amas de volatiles étendus, raides morts, sur le dos. Ta grand-mère, qui avait été témoin de la scène, m'a juré qu'il y avait tellement de cadavres d'oiseaux que le conteur en avait jusqu'aux genoux ! Tous ces oiseaux étaient morts d'avoir osé le défier. Et dans le silence qui s'était de nouveau installé, le vieil homme avait pu continuer son histoire.

Et elle dépose un baiser sur le front de son fils.

— Voilà pourquoi il faut toujours écouter ce que disent les parents et les sages, Mamadi, conclut sa mère en lui relevant sa couverture sous le nez. Maintenant, ferme les yeux et repose-toi bien. La nuit sera bonne, tu verras.

Cette nuit-là, les rêves de Mamadi l'emmènent sous un arbre rempli d'oiseaux silencieux qu'il imagine bleus et blancs.

Prêts, pas prêts, on y va!

— Mamadi! Mamadi, ouvre les yeux, chuchote son père.

La voix semble parvenir d'un autre monde. Le sommeil du garçon est profond et ses paupières refusent de s'ouvrir.

Il sent des mains qui le tirent du lit, le soulèvent et le collent contre la poitrine de son père. Il entrouvre un œil, puis le referme, à demi conscient. Rassuré, il pose la tête sur l'épaule paternelle et se rendort. L'avancée tranquille des pas qui le portent lui inspire le mouvement des vagues sous les bateaux des pêcheurs de la côte. Même s'il ne l'a jamais vue, il rêve de la mer avec ses plages, ses marées et ses oiseaux. Dans sa tête, des hommes étendent des filets pour les faire sécher au soleil tandis que d'autres se font la chaine pour décharger des caisses débordantes de poissons. Le soleil brille, une brise chargée de sel souffle.

Au cœur du village, le sommeil de Mamadi est de nouveau interrompu. Ses yeux ne lui envoient que des images floues qu'il a du mal à discerner. Tout d'abord, il semble que tous les habitants sont rassemblés sous l'arbre à palabres et qu'il y a là quelqu'un qui édicte d'un ton autoritaire les règles d'un jeu que le garçon ne comprend pas. Sa mère se tient près de lui et tripote nerveusement sa main du bout de ses doigts. Des jeeps, des phares, des treillis militaires.

— Dors, fils, lui chuchote la voix rassurante de son père. Dors. Tout va bien aller.

Mamadi est confus. Pris entre l'éveil et le sommeil, il obéit et referme les yeux.

Tout à coup, un grand tumulte éclate. Quelqu'un a protesté en haranguant les hommes armés.

— Rentrez chez vous, nous ne nous laisserons pas faire!

Des gens s'indignent et la foule s'énerve.

Un BOUM! encore plus sec et retentissant qu'un coup de tonnerre déchire tout à coup la nuit.

— Courez! crie une voix. Courez!

Alors, Mamadi se réveille pour de bon. Il est confus, empêtré dans le rêve et l'éveil. Un cauchemar. Il s'agrippe au cou de son père et comprend que ce dernier court du plus vite qu'il peut loin du village. Derrière l'épaule de celui-ci, il distingue sa mère qui court également à quelques pas d'eux. Le reste n'est que mouvements de têtes et de bras, poussière et cris indistincts. La cohue. Soudain, la mère de Mamadi se fait bousculer, trébuche et disparait, avalée par la foule et les ténèbres de la nuit. Seule sa voix demeure :

— Cours, Mamadi! Cours et ne t'arrête pas! Cache-toi, Mamadi!

Mamadi prend soudainement la mesure du drame qui se passe et se met à pleurer. Il crie à son tour :

— Maman! Maman!

Mais, cette fois, aucune voix ne répond. Il n'y a que le bruit de la foule affolée et l'image du village qui s'estompe dans la nuit, illuminé par le stroboscope des déflagrations.

Bientôt le froissement des feuilles fait comprendre à Mamadi qu'il s'enfonce dans la forêt. Il lève les yeux vers le ciel et voit les étoiles disparaitre une à une derrière les branches et le feuillage. Devant lui, le village noir est barré, à répétition, d'éclairs rouges et jaunes. Et le tonnerre roule. Et les cris continuent.

Mamadi, apeuré, ferme les yeux. Sur le noir de ses paupières, il voit des étoiles s'allumer une à une et former la constellation du sourire de sa mère. Et dans sa tête lui revient une berceuse fredonnée par elle.

Ça ne peut être qu'un mauvais rêve.

Elle est où maman?

La fuite a duré toute la nuit et une partie de la matinée. Il faut dire que, dans la forêt de teks, de palmiers et d'acacias, le jour se lève moins vite qu'au village et que les oiseaux chantent la présence du soleil longtemps avant qu'on l'aperçoive.

Mamadi sent battre le cœur de son père contre sa poitrine, sa respiration saccadée dans son oreille et son souffle chaud dans son cou. La sueur et la fatigue finissent toutefois par venir à bout de tout homme, aussi fort et jeune soit-il. Le père de Mamadi s'arrête, exténué. Il pose son fils à terre et s'assied sur une pierre, la tête entre les mains.

— Elle est où maman? demande Mamadi.

Son père ne répond pas. Ses yeux se perdent dans les brumes de l'incompréhension. Il cherche à mettre de l'ordre dans ce qui vient d'arriver et à reprendre son souffle.

— Que s'est-il passé? questionne encore Mamadi, la voix tremblante.

Son père ne répond toujours pas. Mais, soudain, comme s'il venait d'avoir une révélation, comme s'il venait d'apercevoir un rayon lumineux filtrant à travers les décombres du monde qui s'écroule, il relève la tête et plonge un regard plein de tendresse dans les yeux de son fils, puis, l'index devant la bouche, il chuchote :

— Il ne faut pas parler, Mamadi, pas tout de suite. On pourrait nous entendre. Il y a des gens qui nous cherchent. Ils ne doivent pas nous trouver, tu comprends ?

Mamadi fait oui de la tête.

— C'est comme jouer à cachecache. Pareil. Mais en plus, on a une mission : il faut retrouver maman…

Et il ajoute :

— Ça va être une chouette aventure, je te le promets.

Alors, Mamadi cesse de questionner.

Cette réponse lui suffit.

Pour le moment.

Or, la lueur de vie dans les yeux du père n'a fait que passer, et les marques de l'inquiétude réapparaissent sur son visage. Ses yeux scrutent à gauche et à droite. Il cherche quelque chose.

— Reste ici, continue-t-il d'une voix à peine audible en caressant les cheveux de son fils, je vais trouver de quoi manger. Tu dois avoir faim, non ? Moi, je suis affamé.

Mamadi acquiesce.

— Souris un peu et attends-moi, je reviens tout de suite.

Alors, Mamadi force un sourire et le regarde disparaitre dans la forêt tropicale.

Assis au pied d'un arbre, il attend patiemment le retour de son père. Au-dessus de lui, dans le feuillage, des oiseaux multicolores piaillent sans arrêt. Il a l'estomac vide, la bouche sèche et les paupières tombantes de sommeil. Le cœur lourd aussi. Dès qu'il ferme les yeux, il revoit sa mère qui trébuche et se fait happer par la foule dans le noir, comme engloutie par un monstre à mille bras ; et c'est comme un mauvais film qui passe en boucle. Il entend sans cesse ses derniers mots, comme si c'étaient les oiseaux qui les lui chantaient :

— Cours, Mamadi ! Cours et ne t'arrête pas ! Cache-toi, Mamadi !

Le jeune garçon se couche en boule au pied de son arbre et ferme les paupières sur ses yeux humides.

— Oui, maman, je me cache, ça je sais le faire… mais saurai-je te retrouver ?

Des bananes et des racines

Durant son sommeil, Mamadi entend la voix de sa mère lui raconter l'histoire du griot sous l'arbre à palabres. Comme sa parole était sage! Comme il fallait l'écouter!

Un bruissement dans les feuilles et le silence soudain des oiseaux le réveillent. Des branches craquent sur le sol. Quelqu'un approche. Il ouvre les yeux et voit son père apparaitre avec dans les bras quelques bananes flétries et des racines encore couvertes de terre séchée. Dès qu'il aperçoit son fils, l'homme dresse son index devant sa bouche pour ordonner le silence. Puis, il sourit et fait un clin d'œil de connivence à son garçon. Mamadi sourit en retour. En silence toujours.

Il pèle les bananes et frotte les racines sur son pantalon.

— Il faudra manger sans faire de bruit, Mamadi, commence son père en disposant les aliments sur des feuilles de tek.

Sa voix est à peine plus forte que la brise dans les arbres.

— Il faut que tu prennes des forces. Nous avons beaucoup de chemin à parcourir aujourd'hui et demain encore, sans doute. Et je ne pourrai pas te porter tout le temps.

Il parle la bouche pleine. Il mange vite, faisant fi des grains de terre qui crissent entre ses dents. Le repas n'est pas bon, mais la faim est si grande !

Mamadi se demande pourquoi il faudra marcher aussi longtemps, puisque le village n'est qu'à quelques heures, mais comme il en a l'habitude, il garde ses questions pour lui et attend de voir la suite. Il remarque alors les yeux rougis de son père. C'est la première fois qu'il lui voit des yeux si rouges, si bouffis, comme si… comme s'il avait pleuré.

— Tu as de la peine, papa? Tu as peur?

— Non. Ce n'est rien, Mamadi, rien de bien grave. Sans doute de la poussière ou quelque chose comme ça. Le pollen, peut-être. Je n'ai pas tellement l'habitude de la forêt. Mais tout va bien. Allez! Mange, nous partirons tout de suite après.

— Et pour aller où?

— À l'aventure, mon fils. À l'aventure...

Les jours suivants

Ce jour-là, Mamadi et son père le passent à enjamber des branches et des pierres, à franchir le lit asséché de ruisseaux laissés à la traine par la dernière saison des pluies. Ils s'enfoncent dans la forêt et s'éloignent du village. Les pieds nus de l'enfant ont l'habitude de la terre battue, pas des aspérités de la forêt. Il fait pourtant fi de la douleur qu'il ressent et suit le rythme de marche imposé par son père. C'est lui le guide, le pilier qui soutient le toit du monde. Alors, Mamadi fait ce qu'il dit, c'est tout. Et, de plus, le garçon n'a qu'une idée en tête : son ballon ! Il a oublié de ranger son ballon !

— Arrêtons-nous ici, fait parfois son père, aux aguets, en le prenant par le bras et en le tirant à l'abri, loin d'un hypothétique regard, sous un couvert de feuilles.

La peur d'être poursuivi guide ses pas et ses gestes, mais il s'efforce de ne rien laisser paraitre. Il imagine la forêt sillonnée d'hommes armés. Mamadi, lui, comme à son habitude, se tait. Rien ne sert de poser des questions. Il a confiance.

Une fois la crainte dissipée, le père ordonne :

— Continuons.

Alors, ils reprennent leur marche.

Et il en est ainsi des jours suivants. Tandis que Mamadi tâche de dormir en chassant de ses rêves les cris et les monstres avaleurs de femmes, son père cherche quelque réconfort dans les étoiles. Au petit matin, avant même les premiers rayons du soleil, le père de Mamadi part à la recherche de bananes et de racines comestibles, de tout ce qui pourrait constituer un repas décent et qu'on trouve dans la forêt sèche d'avant la saison des pluies. Le plus souvent, il revient les mains vides et c'est le ventre creux qu'ils reprennent leur marche aveugle à travers la jungle.

Je m'appelle Fatima et j'ai quatre ans

Mamadi n'a jamais rêvé d'aventures autres que celles qu'il imaginait en jouant au soccer. Il se voyait alors acclamé par des foules qui scandaient son nom en insistant sur chacune des syllabes : «Ma-ma-di! Ma-ma-di!» Même assis sur le banc de l'école, durant les leçons d'arithmétique ou de français de monsieur Koité, lorsque son regard se perdait au cœur des écritures sur l'ardoise du maitre, c'étaient des jeux, des stratégies défensives ou d'attaque que dessinaient les chiffres et les symboles tracés à la craie.

Lui et son père ont marché longtemps en silence dans la forêt. Quelques jours; il n'a pas tenu le compte. Ils ont cheminé côte à côte, sans dire un mot et en s'encourageant de sourires échangés de temps à autre, après le passage d'un oiseau, à la vue d'un porc-épic. Ils ont marché longtemps, se nourrissant lorsqu'ils le pouvaient de la fadeur de bananes et de racines crues, puis ont débouché sur une route de terre rouge, sillonnée d'ornières profondes.

Déjà, quelques marcheurs déambulent là, en silence eux aussi, comme guidés par une force invisible : l'espoir, la résilience, la fatalité ou quelque chose du genre.

— Où mène ce chemin ? demande le père de Mamadi à une femme qui passe.

— Je ne sais pas trop, répond la femme, on m'a dit qu'il y a un camp par là qui offre un toit et de la nourriture. Alors nous nous y rendons.

C'est à ce moment que Mamadi remarque que la femme tient une petite fille par la main. Elle n'a pas plus de quatre ou cinq ans et serre une poupée de chiffon dans sa menotte libre. Ses cheveux sont coiffés de nombreuses tresses fines au bout desquelles pendent de petits nœuds de rubans colorés rappelant les fleurs en boutons de la saison des pluies. Elle lui fait un sourire. Radieux.

— Je m'appelle Fatima et j'ai quatre ans ; je suis grande.

Mamadi sourit. Puis, il se nomme à son tour.

Au fil de la discussion qui s'est entamée entre les adultes, Mamadi comprend que des hommes armés sont allés aussi dans le village de Fatima, et qu'elle et sa mère ont fui dans les bois il y a plus d'une semaine, comme son père et lui.

— Tu as vu ma poupée ? Elle s'appelle Papillon et je l'aime.

Mamadi sourit à Fatima.

Et à Papillon.

Le bout du chemin

De plus en plus de gens cheminent sur la route de terre rouge, si bien que c'est désormais toute une foule qui est en marche. De temps en temps, une camionnette blanche se fraie un passage parmi les marcheurs en klaxonnant. Sa venue énerve un peu certains, qui crient pour avoir de l'eau ou quelque chose à manger. Pour Mamadi et son père, la présence de la camionnette annonce surtout l'arrivée prochaine au camp. Sur la route, les gens ont faim et soif, et s'accrochent à la moindre parcelle d'espoir.

La piste bifurque au sommet d'une colline et plonge dans une petite vallée. Puis, en bas, apparait enfin le camp de réfugiés.

«Maman nous attend peut-être là?» songe Mamadi.

C'est une véritable ville qui s'étend sur trois kilomètres carrés. Huttes au toit

de chaume, tentes dressées çà et là s'ag-
glutinent au centre d'une clairière. Des
milliers de personnes marchent sous le
soleil entre les habitations.

Le père de Mamadi serre la main de
son fils en voyant la scène.

— Nous pourrons enfin nous reposer
ici, dit-il.

— Et retrouver maman ?

Le père laisse s'égrener quelques
secondes avant de conclure :

— Et retrouver maman.

Le camp

Les marcheurs se massent à l'entrée du camp où sont postés les employés de l'Organisation des Nations unies. Les gens sont fatigués de la fuite, d'avoir parcouru les routes et les campagnes jusqu'ici. Ils ont faim, ils sont assoiffés.

Des officiers crient des ordres dans des portevoix :

— Les hommes seuls de ce côté… Les familles ici… Les femmes avec des enfants par là…

Et les enfants avec leur papa, eux, où les met-on ?

Mamadi serre la main de son père dans la sienne.

Cela dissipe sa crainte.

Déjà, il s'imagine, comme dans un rêve, voir sa mère traverser la foule pour le serrer contre son cœur. Mais lorsqu'il ouvre les yeux, rien de tout ça ne se passe. Il est encore plaqué contre les cuisses et les hanches moites des gens entassés sous le soleil ardent.

Enfin, il se présente avec son père devant un grand homme à la peau blanche portant d'énormes verres fumés.

— Noms et provenance, s'il vous plait.

Le père de Mamadi décline le nom de son village.

— C'est tout près de Duékoué, dans le Moyen-Cavally.

— Hum! fait l'homme en levant un sourcil derrière ses lunettes. Vous avez fait un sacré bout de chemin pour aboutir ici. La plupart des réfugiés de votre région se trouvent ailleurs, dans le comté de Grand Gedeh, au Libéria. Enfin. Bienvenue chez nous. Vous pouvez vous mettre en rang avec les autres de ce côté.

Mamadi se place en ligne avec son père et s'agrippe à sa main comme au fil d'Ariane.

— Dis, papa, c'est quoi le Grand Gedeh ?

Aucune réponse ne vient. Juste une caresse dans ses cheveux crépus.

— Dis, papa, tu crois qu'on va revoir maman ?

— J'en suis certain. Il faut garder espoir.

Enfin, après leur avoir remis des chaussures usées, mais encore convenables pour le garçon, une couverture, un sac de farine de maïs, quelques haricots, un sachet de sel et un peu d'eau, on les mène vers une petite tente de toile blanche située aux abords du camp, à l'orée de la forêt.

— C'est ici que vous dormirez. J'espère que vous vous y sentirez chez vous.

Le père de Mamadi prend soin de remercier l'employé, qui s'éloigne déjà.

Ils s'efforceront de s'y sentir chez eux.

Des gens connus dans le voisinage

C'est un nouveau quartier qui prend naissance dans la vaste ville improvisée qu'est le camp. Ici, pas d'eau courante, même pas de puits à proximité, pas de rues, pas d'électricité. Que des tentes qu'on érige sous les yeux curieux de Mamadi.

— Regarde, Papillon, c'est notre nouvel ami, fait une petite voix claire.

Le garçon se retourne et reconnait tout de suite la petite Fatima, sa compagne de route. Elle se tient debout devant lui, sa poupée dans les bras.

— Bonjour, Fatima, fait Mamadi. Je suis content de te voir.

— Il semble que nous soyons voisins ; regarde, ma tente est juste ici. C'est là que je vais dormir avec Papillon. Ce sera notre nouvelle maison en attendant de rentrer chez nous.

À ce moment, Mamadi voit la mère de Fatima sortir de la tente d'à côté. Elle adresse un sourire tendre au garçon avant de disparaitre de nouveau à l'intérieur de l'habitation.

— Tu sais, continue la petite fille, je suis contente que nous soyons voisins. Au moins, ça me fait quelqu'un que je connais dans les parages, quelqu'un avec qui jouer. C'est vrai que j'ai Papillon, mais elle est un peu petite et parfois elle agit en bébé, tandis que toi, tu es grand. Si tu veux, tu pourrais être mon grand frère !

Mamadi est surpris du nombre étonnant de mots que Fatima parvient à aligner sans reprendre son souffle. Il la trouve drôle avec sa petite voix, ses yeux qui brillent et la façon qu'elle a de sautiller en parlant.

— D'accord, fait Mamadi. Si tu veux, je veux bien être ton grand frère, mais juste pour jouer.

— Chouette! On fera une super famille!

— Attends un peu, Fatima. Je suis ton frère pour jouer. Pour être de la même famille, il nous faut les mêmes parents.

Fatima reste songeuse. C'est vrai que c'est un problème. Elle cherche dans sa tête une façon de le contourner.

— Bah! C'est facile, fait-elle enfin, excitée comme si elle venait de trouver la réponse à une énigme. On n'a qu'à se partager nos parents!

— Les parents ne se partagent pas, Fatima!

— Mais si! Puisque tu n'as plus ta maman ni moi mon papa, tu me prêtes le tien et je te prête la mienne, c'est simple!

— J'ai encore ma maman, s'oppose Mamadi, dont le cœur s'embrume soudain. Il faut juste que je la retrouve.

— Alors, si tu veux, je te prête la mienne en attendant. Jusqu'à ce que tu retrouves la tienne. Allez! Dis oui! Dis oui!

Mamadi cède.

— Bon d'accord. On partage nos parents, mais tu me rends mon père et je te rends ta mère aussitôt que j'ai retrouvé la mienne.

— Marché conclu, déclare Fatima en lui serrant la main.

Le jour et la nuit

Dans la clarté aveuglante du jour, Mamadi joue au grand frère avec Fatima. Il marche avec elle dans les allées poussiéreuses du camp et partage les maigres repas que leur prépare l'un ou l'autre des deux parents. Parfois, ils cherchent dans les nuages des formes familières ou pourchassent des papillons. Et ça fait changement de les voir comme ça, le nez en l'air, parmi tous ces adultes qui baissent les yeux. Souvent, ils courent ensemble entre les tentes : Mamadi poursuit Fatima en imitant un lion ou une créature de son imagination. Elle joue les gazelles en bondissant à gauche et à droite. Ça les fait bien rire. Bien entendu, aucun des adultes n'est au courant de leur pacte secret, mais chacun se plaît à nourrir l'enfant de l'autre, convaincu que tout ce qui peut faire naitre un sourire est bon dans les circonstances. Malgré la faim et la soif qui ne les quittent que rarement, Mamadi et Fatima se plaisent à leurs nouveaux jeux. Papillon aussi, d'ailleurs.

Au cours de ses randonnées dans le camp avec Fatima et Papillon, Mamadi cherche, parmi la foule, la piste de sa mère. Il guette le moindre signe d'elle : le son de sa voix, la couleur de son vêtement, un éclat de rire aux allures de chant d'oiseau. Mais il ne trouve rien, ses yeux ne rencontrent que le vide. Et, quand le soleil se couche en étirant ses rayons colorés dans le ciel, Mamadi rentre chez lui.

— Bonne nuit, grand frère, fait Fatima en bâillant.

— Bonne nuit, petite sœur.

Puis, quand le soleil renait, ils sortent tous deux de leur tente respective et reprennent là où ils se sont quittés la veille. Comme si de rien n'était.

Et ce matin ne fait pas exception.

Fatima apparait en étirant le cou en dehors de sa tente et tourne la tête en direction de Mamadi, dehors depuis quelques minutes à peine. Elle lui adresse un sourire lumineux, puis :

— Attrape-moi si tu peux !

Elle détale.

Mamadi la laisse prendre les devants et compte, un, deux, trois, dans sa tête avant de partir à sa suite. Il est rapide, Mamadi. C'est pourquoi il se permet de regarder voleter les rubans colorés dans les cheveux de Fatima quand elle s'éloigne en courant.

Il l'observe, grouillante de vie. Il admire sa candeur.

Elle disparait à droite, entre deux habitations. Il s'élance à son tour. Une brise chaude et chargée de poussière souffle ce matin, rien d'étonnant pour la saison. Mamadi se laisse porter par elle et, le cœur léger, il tourne aussi à droite, sur les traces de son amie. Il emprunte ensuite une petite allée sur la gauche ;

c'est toujours par là que passe Fatima. Il la voit, d'ailleurs, juste devant, toute petite sur ses jambes frêles, elle tient Papillon dans ses bras; elle rit. Puis, elle bifurque à droite, une fois de plus. Mamadi l'imite. Le passage mène aux abords de la forêt où, du soir au matin, les habitants vont récolter le bois nécessaire à la cuisson des aliments. Mamadi retrouve Fatima devant lui. Elle ne court plus. Elle marche. Elle porte une main à son visage. Plus que quelques enjambées et il la rejoint.

— Qu'est-ce que tu as, Fatima? demande Mamadi.

Elle a les yeux rougis et des larmes brouillent son regard. Devant eux s'étend un petit abatis et les feuilles sèches des arbres qui l'entourent sont ballotées par le vent et bruissent calmement.

— Ce n'est rien, répond Fatima. Ce n'est que la poussière. J'ai de la poussière dans les yeux et ça picote.

Et elle se frotte un œil, puis l'autre.

— Ce n'est rien.

Fatima avance lentement dans l'abatis et trouve une souche où elle s'assied, Papillon sur ses genoux. Des larmes coulent désormais sur ses joues. Mamadi s'approche d'elle.

— Mon père est vivant, reprend-elle. Il n'est pas ici et il me manque, mais je sais qu'il vit quelque part. Peut-être pas ici, mais quelque part, j'en suis certaine.

Mamadi, ému, s'accroupit auprès de son amie.

Elle continue :

— Tu sais ce qu'il dit, mon papa ? Il dit que, tant que le vent souffle, il faut se rappeler qu'il y a quelqu'un quelque part qui nous aime et qu'il ne faut pas l'oublier.

Un tourbillon de vent se forme tout près et soulève la poussière de sable et d'écorce séchée, quelques feuilles mortes aussi.

— Il me l'a dit un jour. Ça ne fait pas tellement longtemps de ça, et je ne me rappelle plus pourquoi. Enfin si. C'est à cause de ma mère. Elle était là, un peu plus loin sur le chemin et mon papa me parlait d'elle. Elle rentrait du marché, chargée de provisions. Elle était encore loin sur la route et nous la regardions avancer vers nous. Il y avait du vent comme aujourd'hui. Il m'a dit : «Tu vois comme elle est belle ?» C'est vrai qu'elle est belle ma maman. Et il a ajouté qu'un jour je serais comme elle, belle et forte, et que j'irais moi aussi au marché pour nourrir mes enfants. Il m'a dit que ma maman m'aime et que je dois l'aimer aussi. Puis, il a ajouté que, tant que le vent souffle, il y a quelque part des gens qui s'aiment. Et il a dit de ne jamais l'oublier. C'est mon papa qui l'a dit. Alors, quand je vois le vent tourbillonner, je pense à lui. Et je ne l'oublie pas.

Mamadi est touché par le discours de Fatima. Sa mère lui manque, à lui aussi. Il aimerait également raconter des histoires sur elle et dire combien elle est belle et sage. Mais il ne le fait pas. Il veut laisser aux souvenirs de sa sœur d'emprunt le temps de germer et de fleurir. Après tout, c'est souvent le silence qui permet à la mémoire de combler la solitude.

Alors, le jour finit par passer, comme les autres, mais sans dire un mot, ce qui n'est pas rien.

La nuit, tout est noir. Aucune lumière, sauf celle de la lune et des étoiles, ne brille sur le camp. Personne n'a de lampe, ni de piles, ni de quoi faire du feu; on réserve le bois pour la cuisson des aliments. Alors, Mamadi se couche sur le tas de paille que son père a aménagé à même le sol au fond de la tente. Celui-ci viendra l'y rejoindre plus tard, il le sait.

Mamadi ferme les yeux et se laisse porter par ses rêves. Chaque fois, une myriade d'oiseaux bleus et blancs l'appellent et le guident dans la forêt. À travers les branches d'acacias et les troncs des baobabs, il distingue les toits de chaume de son village. Quelque part, en écho, il entend le son de sa propre voix : « Huit, neuf, dix… Prêt, pas prêt, j'y vais ! » Personne ne court dans les rues désertes, aucun chien n'aboie. Mamadi cherche. Une trace. Un mouvement. Il marche pieds nus dans les rues et débouche soudain sur la place centrale. Il y aperçoit l'arbre à palabres et, derrière le tronc de celui-ci, le tissu coloré de la robe de sa mère. Alors, il accélère le pas, se met à courir et, juste au moment où il s'apprête à crier « Ah ! Je t'ai trouvée ! », il découvre l'endroit. Désert.

C'est à ce moment qu'il se réveille.

En sursaut.

Le cœur gros.

Et la plupart du temps, c'est comme ça quand il dort.

Mais cette nuit, après son mauvais rêve, Mamadi a trouvé la place vide à côté de lui. Nulle trace de son père sur la paillasse. En revanche, l'entrée de la tente est restée ouverte et Mamadi entrevoit les étoiles. Intrigué par l'absence de son père, il se lève et se dirige à tâtons à l'extérieur. Là, il le découvre enfin, assis à même le sol, les yeux levés vers le ciel.

— Tu ne dors pas, mon garçon?

Mamadi s'assied à son tour.

— J'ai dormi, mais je me suis réveillé. J'ai rêvé à maman.

Le père de Mamadi passe son bras autour des épaules de son fils.

— Tu vois les étoiles qui brillent là-haut? Ce sont elles qui me font savoir que maman est là, quelque part, qu'elle veille sur nous et qu'elle nous attend patiemment.

Le souffle léger de la brise caresse sa joue. Mamadi lève les yeux et voit à son tour le ciel qui lui sourit.

Une lueur d'espoir

— Mamadi ! Mamadi !

La voix du père résonne dans les dédales du camp. Il court parmi la foule à peine mouvante à la recherche de son fils.

— Mamadi !

Mamadi n'est pas là. Il est sorti du camp au petit matin avec Fatima et Papillon pour jouer à l'orée de la forêt. Là, ils imaginent qu'ils se partagent leurs mets préférés : du riz à la sauce aux arachides au lieu de l'infâme boulgour, de l'igname ou du manioc à la place de la bouillie de maïs, le tout servi avec de la boisson au gingembre.

— Mange un peu, Papillon, ordonne Fatima, allez, ne sois pas si difficile !

Mamadi participe au jeu même si ça ne lui est pas si naturel. Lui, son plaisir, c'est de courir derrière un ballon, de lutter avec d'autres garçons pour en garder le contrôle, d'être plus fort et plus rapide que les autres. Ou alors, de se perdre en rêveries. Mais bon, il la regarde aller d'un air amusé et joue le jeu du mieux qu'il peut.

— Allez, Papillon, renchérit-il, si tu manges bien, tu deviendras grande et forte comme Fatima. Et, si tu as un peu de chance, peut-être aussi jolie!

Fatima sourit et tourne un œil brillant vers Mamadi. On dirait presque qu'elle rougit un peu.

Ce n'est qu'à la fin de l'après-midi que le père de Mamadi retrouve enfin son fils dans la tente de Fatima.

— Je t'ai cherché tout le jour partout dans le camp, Mamadi.

Et il lui raconte tout des nouvelles qu'il a entendues.

— J'ai parlé avec un employé d'ici et il y a une voiture qui part demain matin en direction de Grand Gedeh. Ils nous prendront avec eux. Il parait qu'il y a un autre camp là où des femmes et des

enfants, et plein de gens de notre préfecture cherchent les membres disparus
de leur famille. Ta mère y est peut-être!
Allez! Rentre vite. Il faut nous préparer.

Une compagne pour la route

Le lendemain matin, lorsque Mamadi sort de la tente avec son père, Fatima est déjà dehors, sa poupée dans les bras. Sa mère se tient juste derrière elle, les deux mains sur les épaules de sa fille, qu'elle regarde doucement d'un œil à la fois triste et attendri. De lourds nuages s'accumulent dans le ciel.

— C'est Papillon qui m'a réveillée, ce matin, Mamadi. Elle pleurait beaucoup. Elle t'aime énormément, comme son frère, et elle ne veut pas te voir partir, alors…

La voix de la fillette s'étrangle soudainement, elle peine à réprimer un sanglot.

Mamadi sent aussi son cœur se nouer.

— … alors, je lui ai demandé si elle préférait partir avec toi et elle a dit oui. Tu veux bien l'amener, s'il te plait?

Mamadi comprend bien la tristesse de sa petite amie. Il s'approche de Fatima, se penche sur elle et plonge ses yeux noirs dans ceux de la fillette.

— Tu es bien certaine, Fatima? Tu es sure que Papillon veut partir avec moi?

Fatima lutte contre le tremblement incontrôlable qui s'empare de sa lèvre inférieure et fait oui de la tête en levant vers Mamadi ses grands yeux humides.

— Eh bien! Si c'est le cas, je lui ferai voir du pays à Papillon. Nous nous amuserons bien ensemble et nous penserons à toi dans nos aventures. Toujours. C'est promis. Tu seras toujours dans nos cœurs.

Puis, Mamadi dépose un baiser sur le front de la petite fille avant de la serrer dans ses bras. Une étreinte remplie d'amour fraternel.

— Prends soin de toi, petite sœur.

Enfin, après des salutations émotives à la maman de Fatima, le père de Mamadi appelle son fils, et tous deux disparaissent dans la foule du camp qui s'éveille.

Fatima reste seule derrière, à faire au revoir de la main. Puis, écrasant une larme qui roule sur sa joue, elle rentre dans sa tente, suivie de sa mère. Et c'est étrange, Mamadi a l'impression troublante que leur jeu vient de prendre une tournure insoupçonnée.

Land Rover, c'est canadien?

Un cortège de camionnettes blanches et de jeeps vertes attendent Mamadi et son papa, sous un ciel gris et lourd qui annonce l'imminence de la saison des pluies. Après quelques vérifications et échanges de consignes, le petit cortège se met en branle. Le garçon prend place avec son père sur la banquette arrière d'une des voitures aux couleurs des Nations unies. À l'avant, il y a le chauffeur et, assis à côté, il reconnait l'homme blanc aux grosses lunettes qui l'a accueilli au camp avec son père.

Les adultes discutent durant le trajet. Ils parlent des troubles dans la région, des bandes rivales qui se font la guerre, des dangers de prendre la route et de la protection toute relative que leur procurent les trois lettres peintes en noir sur la portière du véhicule. Mais Mamadi a d'autres préoccupations. Il promène ses yeux sur l'intérieur du véhicule. C'est la première fois qu'il monte à bord d'une voiture aussi luxueuse, presque neuve. Puis, il remarque l'écusson rouge et blanc avec une feuille tout aussi rouge au centre sur l'épaule de l'homme aux grosses lunettes.

— C'est quoi, cette auto? fait-il soudain, coupant la conversation des adultes.

Un peu surpris d'être interrompus par une question aussi inattendue et somme toute banale, les adultes éclatent de rire. Puis :

— C'est une Land Rover, répond finalement l'homme aux lunettes.

— Et ça? questionne de nouveau Mamadi en pointant l'écusson sur le bras de l'étranger.

— Ça? Eh bien! C'est ce qui représente mon pays, le Canada. Dis donc, tu en as des questions, toi! Que veux-tu savoir de plus?

— Land Rover, c'est canadien, comme vous ?

L'homme sourit.

— Non, c'est indien. Mais attends.

L'homme fouille alors dans sa poche et en ressort un billet bleu avec des images imprimées dessus.

— Regarde un peu ceci, fait-il en tendant le billet à Mamadi. C'est un billet de cinq dollars de mon pays. Tu vois ? De ce côté, il y a Wilfrid Laurier, un des tout premiers chefs du gouvernement ; il a été fait chevalier par la reine d'Angleterre…

— Vous êtes anglais aussi ?

— Non, pas anglais, juste canadien… C'est un peu compliqué et, franchement, pas très intéressant. Tu es un peu jeune pour comprendre…

Mamadi, surpris, reste songeur. C'est vrai que, parfois, elles sont plutôt compliquées, les choses de la vie.

L'homme continue :

— De l'autre côté, il y a des enfants qui jouent au hockey sur glace. Le hockey, c'est notre sport national, au Canada. Presque tout le monde y joue. C'est comme le foot ici.

— Vous ne jouez pas au foot?

— Bien sûr, mais seulement en été. Le hockey, on y joue l'hiver. Et l'hiver, là-bas, c'est presque aussi long que la saison des pluies ici. Sauf qu'il fait froid et que c'est de la neige, et non de la pluie, qui tombe du ciel.

Mamadi regarde le billet entre ses mains. Il le trouve beau et étrange à la fois, comme s'il en émanait quelque chose de magique. À tout instant, il s'attendrait à voir bouger ces joyeux personnages s'exerçant à ce jeu étrange sur une surface qu'il ne connait pas. En fermant les yeux, il parvient presque à entendre leurs voix.

— Il te plait, ce billet? questionne le Canadien, tirant du même coup Mamadi de sa courte rêverie. Eh bien! Si tu veux, tu peux le garder.

— Ce n'est pas nécessaire, nous vous remercions, mais nous ne pouvons accepter, proteste le père du garçon.

— Bien au contraire, j'insiste. Ça me fait plaisir et ce serait un honneur pour moi que vous acceptiez ce cadeau. Ça vient du cœur et j'aimerais que votre fils le garde.

— C'est très gentil, reprend le père, mais ce n'est pas nécessaire. S'il te plait, Mamadi, rends le billet au monsieur.

Le jeune garçon remercie et, à contrecœur, sourit à l'homme aux grosses lunettes et lui rend son billet. Il aurait bien aimé le garder, cependant, à cause des images. Ça fait du bien de voir des enfants jouer.

— Très bien, dit le Canadien en repliant le bout de papier bleu et en le glissant dans la poche de sa chemise, je le reprends. En échange, vous allez me faire une promesse. Je veux que vous me juriez de tout faire pour vous tirer de là et en sortir la tête haute, tous les deux. La vie est dure parfois, mais c'est tout ce qu'on a en ce bas monde. Alors, gardez le sourire et tâchez de sortir vivants de cette tempête. On a déjà assez vu de gens mourir comme ça. Alors, promettez-moi de vivre et je garde mon billet.

— Promis, fait le père en regardant son fils.

— Promis, fait Mamadi.

À ce moment, les premières gouttes de pluie éclatent sur le parebrise de la camionnette. Mamadi serre Papillon dans ses bras et ferme les yeux en se demandant quel bruit produit la neige lorsqu'elle tombe.

À travers la vitre

La pluie tombe à grosses gouttes et les essuie-glaces peinent à la chasser du parebrise de la Land Rover blanche. D'immenses flaques se forment sur la route et les ornières se transforment rapidement en ruisseaux boueux, presque des rivières. Le silence règne. On n'entend que le son de la pluie sur le capot et le bruit de l'eau dans les ailes du véhicule. Les adultes s'inquiètent qu'il s'enlise. Mamadi aussi est préoccupé.

Puis, soudain, le cortège s'immobilise à la vue d'une petite guérite en bois aux abords du chemin. Deux jeeps barrent la route et des soldats montent la garde sous la pluie.

— Il semble qu'il y ait un problème, dit le Canadien.

L'homme blanc sort du véhicule et en ouvre le coffre pour y saisir un imperméable bleu clair, qu'il revêt en vitesse, avant de s'avancer vers ie poste-frontière. C'est à ce moment que le garçon aperçoit beaucoup de gens, rangés de chaque côté du chemin à l'orée de la forêt. Ils ont les dents qui claquent, les yeux exorbités et la maigreur de leur peau leur donne l'air de cadavres ambulants. Çà et là, un abri rudimentaire construit avec des feuilles et des branches. Ici, une femme avec une fillette nue dans ses bras. Sous la pluie. Elle tente de consoler l'enfant qui crie tandis que son époux, torse nu et penché à deux pas d'elles, s'affaire à filtrer l'eau brune d'une rigole à travers son t-shirt, dans le but de préparer de la bouillie pour l'enfant affamée. Un peu plus loin, un vieillard, un bâton à la main, peine à extirper ses pieds de la boue pour avancer. À chaque pas, il risque de tomber. Et tous ont les yeux braqués sur le cortège avec, dans le regard, la lueur pitoyable du désespoir qui implore de croire encore en quelque chose.

Mamadi lève les yeux vers son père. Il semble inquiet lui aussi. Mais il ne le montre pas.

— Tout ira bien, Mamadi. Tu verras, tout va bien aller.

Puis, sur un ton de reproche :

— Ne les regarde pas. On ne fixe pas les gens comme ça, ce n'est pas poli.

Le père de Mamadi parle en caressant les cheveux de son fils tandis que, derrière les traits sinueux que trace la pluie sur les vitres de la Land Rover, la vie s'accroche.

À ce qui reste.

À pas grand-chose, au fond.

Mamadi est bouleversé. La fatigue le gagne. Il serre Papillon contre son cœur et songe à Fatima, seule sous son abri de toile, perdue au milieu de milliers d'autres comme elle. Enfin, il bâille bruyamment et ferme les yeux.

— Je t'aime, petite sœur, chuchote-t-il à l'oreille de sa poupée, je t'aime et je ne t'oublierai pas. Jamais.

Puis, il sombre dans un sommeil peuplé d'oiseaux bleus et blancs brillant sous le soleil de son village.

Une fête dans la tête

Claquement de portière, Mamadi sort de son sommeil.

— Ils ont sécurisé la frontière, fait la voix du Canadien. Des paramilitaires rôdent dans les parages. C'est pour ça qu'il y a tous ces gens autour. Ils sont en fuite, mais, depuis le matin, les douaniers ont ordre de ne pas les laisser passer.

L'homme est complètement trempé sous l'imperméable qui lui colle au corps. Mamadi, dans la confusion de l'éveil, se demande combien de temps s'est écoulé depuis qu'il s'est endormi.

La pluie tombe toujours et l'homme renseigne les occupants du véhicule sur l'état de la situation. Il raconte des trucs que Mamadi ne comprend pas, mais les mots peu rassurants que sont « rebelles », « gouvernement », « armes » et « soldats », tous ces mots qu'il a entendus assis sur le bord de la porte de sa case, reviennent comme un leitmotiv. Mamadi préfère chasser ces idées et se laisser aller à ses rêveries plutôt que de partager l'inquiétude des adultes. Dans sa tête, le roulement de la pluie sur le toit de l'auto se transforme en tambours, en rythmes dansants. Les mots des adultes sont des chants, la forêt est son village un jour de fête. Les habitants se sont rassemblés près de l'arbre à palabres. Ils ont apporté de la nourriture à partager. Çà et là, les garçons jouent au ballon et rivalisent de feintes et de tirs dans des buts qui n'existent que dans leur imagination; les filles jouent à la poupée ou chantent en tapant des mains. Un homme s'avance parmi la foule et s'assied à l'ombre des branches de l'arbre chargé de feuilles vertes et d'oiseaux colorés. Les gens se calment soudainement et s'approchent du sage, qui s'apprête à prendre la parole. Tous s'assoient à leur tour et forment un cercle. Tout près de lui, juste à sa gauche pour ainsi dire, Fatima s'est assise, tenant Papillon dans ses petits bras. Elle lève vers lui un regard tendre. À sa droite, sa mère et son père sourient aux deux enfants. Mamadi se penche vers son amie et glisse à son oreille :

— Tu vas voir, ce sera une chouette histoire.

Le camp du Grand Gedeh

La voiture de l'ONU est restée immobilisée si longtemps sous la pluie, en attendant qu'on lui accorde le droit de passer, qu'il a fallu déployer de grands efforts pour la dégager. La route de terre s'étant transformée en sentier de boue, le véhicule s'est enfoncé jusqu'aux essieux. Il a fallu user de force et de débrouillardise pour tirer, pousser, placer des pierres et des cailloux sous les roues et, enfin, extirper la camionnette du trou où elle s'est enlisée et lui permettre de reprendre sa route. Tout ça, sous le regard insoutenable de la foule massée à l'orée de la forêt. Et il a fallu en faire autant avec les autres véhicules de l'équipée. Maintenant, de dérapages en embardées, on roule sur la route. Durant le temps que durent les quelques rares éclaircies, Mamadi regarde par la vitre le paysage qui défile. Encore la forêt. Acacias, teks, baobabs. De temps en temps, un paysan qui mène une chèvre trop maigre. Un trajet interminable parmi les bourgades et les petites villes de ce nouveau pays.

Combien de temps a duré le voyage? Mamadi n'a pas tenu le compte. Après quelques nuitées dans des campements de fortune, les voici qui débouchent enfin, lui, son père et les employés de l'Organisation de Nations unies, sur un nouveau camp.

À leur arrivée, le soleil perce le ciel nuageux. Ici aussi, des dizaines de milliers d'habitations temporaires s'entassent les unes contre les autres sur le sol couvert de boue. Des gens suspendent le linge à sécher sur des cordes tendues entre les tentes. Une odeur forte de sueur, d'excréments et de moisissure émane de l'endroit.

— Mais personne n'a rien ici! s'exclame Mamadi quand, enfin, on les conduit à leur campement.

Et c'est vrai qu'ici la pauvreté crève les yeux. Également vrai que cette absence de tout que Mamadi remarque, il la côtoie depuis plusieurs mois déjà. Peut-être est-ce la vue de ces gens massés à la frontière qui lui en a révélé l'ampleur? Or, si ce camp ne lui semble guère plus riche et mieux organisé que les habitations de fortune qu'il a entraperçues à l'orée de la forêt près du poste-frontière, il garde tout de même l'espoir d'y retrouver le plus beau des trésors : le regard tendre de sa mère. Il se voit déjà se lançant dans ses bras et riant avec elle, lui racontant en détail leurs aventures en souriant et rentrant à la maison. Reprendre leur vie d'avant. Et se dire que tout ça n'aura été qu'un très mauvais rêve.

Les pistes une à une

Mamadi passe ses journées avec son père à parcourir le camp. Il fouille dans les moindres recoins, cherchant une trace de pas, un parfum, un éclat de rire, une ombre, un mouvement, le froissement du tissu d'une robe. Son père, quant à lui, questionne, décrit la forme du visage, la taille, le ton de la voix de sa femme. Durant les trop rares moments de soleil, leurs recherches permettent quelques espoirs. Mais les averses abondantes cantonnent trop souvent les gens à l'intérieur de leurs tentes humides, et ils sont souvent les seuls à se hasarder sous la pluie.

— Nous la retrouverons bientôt, Mamadi, fait le père en caressant la chevelure de son garçon. Nous la retrouverons.

Et de fait, de fil en aiguille, une femme raconte son passage dans un village où elle a croisé une jeune dame blessée ou malade — elle était faible en tout cas! — recueillie par des habitants. Elle venait de par là, de la même préfecture que Mamadi et son père.

Mais du même village?

— Non. Non, je ne connais pas le nom du village.

Une autre femme raconte qu'elle a vu, plus près d'ici, une fille qui errait sur la route, qui s'asseyait à tous les dix pas sur une pierre et se perdait dans le courant des rigoles.

— Mais je ne connais pas son nom.

Plus tard, une vieille dame rencontrée au hasard dans une allée et qui tue les longues heures en donnant un coup de main à l'infirmerie répond :

— Il y a une femme là-bas, une jeune femme dont on s'occupe. Personne ne sait d'où elle vient. On l'a recueillie au bord de la route. Seule. Sa robe était en lambeaux et elle n'avait pas de chaussures. Elle ne dit pas un mot, ne répond à rien. Si vous allez la voir, peut-être que vous la reconnaitrez ? Si vous avez de la chance, elle en fera autant pour vous.

Et après avoir tapoté la joue du garçon :

— Allez ! Bonne chance, petit !

Puis, elle retourne à ses affaires.

Des diamants dans la boue

Dans le camp, tout est temporaire : rues, habitations, personnel. Rien n'a été installé en permanence. Même l'infirmerie est faite d'immenses panneaux de toile tendus sur lesquels s'abattent les trombes de pluie. Des employés s'affairent continuellement à vérifier que les précipitations n'endommagent le tissu épais, question de sécurité. Il ne faudrait pas qu'une poche d'eau se forme et, après avoir enflé comme une pustule, éclate et bousille les équipements. C'est tout de même étrange, pense Mamadi en circulant aux abords de l'installation, que, malgré le manque de tout, les équipements désuets, la pénurie de médicament et de personnel, malgré les installations chancelantes, ce soit là qu'on perçoive le moins la détresse. Ici au moins, malgré le peu de moyens, la vie a encore une valeur. On se bat pour elle.

Mamadi ouvre grand les yeux en pénétrant dans l'hôpital de campagne avec son père : il sent que sa quête achève. Sans trop savoir pourquoi, il est convaincu que sa mère se trouve ici et qu'il la retrouvera souriante et joyeuse comme avant, que bientôt elle le serrera dans ses bras, et qu'ils rentreront ensemble tous les trois, au village, reprendre leur vie où ils l'ont laissée, et que son ballon sera là, tout près de la porte, et qu'elle l'encouragera fièrement en le regardant dribler. Mais son allégresse est quelque peu ébranlée quand ils croisent une vieille femme à l'allure étrange. Ses yeux hagards se posent partout et nulle part à la fois; elle a l'air d'une vieille antilope aux abois. Soudain, elle rive ses yeux sur ceux de Mamadi. Elle fond sur lui en gémissant et le saisit par les épaules :

— Pauvre petit! Cours! Sauve-toi!

Ses doigts se crispent dans le chandail du garçon.

— Sauve-toi parce qu'ils viennent, ils viennent pour les enfants ! Ils sont venus et ils reviendront. Ils vont revenir pour toi ! Alors, file ! Cours et ne t'arrête pas ! Pauvre petit !

Et de ses mains noueuses et sèches, elle secoue Mamadi, tétanisé par le délire de la vieille. Son père intervient avec gentillesse et écarte calmement la dame en lui glissant quelques mots rassurants :

— Ça va aller, grand-mère, tout ira bien.

Et il s'éloigne avec son fils.

Et la vieille continue ses gémissements.

— Sauve-toi ! Ils viennent pour les enfants !

En marchant, Mamadi regarde avec stupéfaction les plis laissés par les poings de la vieille femme sur ses vêtements trop courts et usés. Il réalise soudain qu'il a passablement grandi depuis qu'il a fui son village. Pour la première fois, il remarque la crasse sur ses habits ;

depuis combien de jours ne s'est-il pas changé ? Tout en marchant, il observe les jointures saillantes et la peau tendue de ses mains maigres. Depuis combien de temps n'a-t-il pas mangé à sa faim ?

Les mots de la vieille le troublent. C'est vrai qu'il n'en court pas beaucoup, des enfants de son âge, dans les rues de ce camp. À peine quelques-uns. Parmi tout ce monde, où sont-ils ? Il y a bien des femmes et des poupons, mais des garçons et des filles de son âge, il y en a peu, malades pour la plupart. Où sont passés les autres ? Ceux qui, comme lui, ont de l'énergie à revendre et la force de courir ?

Un peu plus loin, une infirmière blonde à la peau lisse et propre les accueille. Quand ils se présentent et donnent la description de celle qu'ils cherchent, la jeune Européenne baisse les yeux. Son visage prend un air grave. Elle fait :

— Suivez-moi.

Et elle les guide à travers une foule d'éclopés, de malades fiévreux et de gens dont le regard se perd dans le vide. Enfin, la jeune femme dit, en montrant du doigt :

— Elle est là.

Il y a bien une femme là. Mais non, ce n'est pas elle. Enfin pas tout à fait. Au lieu de la femme resplendissante et lumineuse qu'est la mère de Mamadi, c'est une ombre qui apparait au garçon. À la place de la robe colorée dont il rêve depuis de longs mois, il ne distingue qu'un fouillis de tissu terne et usé. Et plutôt que de se retourner, de sourire et de courir dans les bras de ceux qu'elle aime — et qui l'aiment ! —, cette femme, cette quasi étrangère, ce fantôme se tient immobile dans un coin de la tente, raide et stoïque, le front appuyé contre la toile. Son père a beau se vouloir rassurant, Mamadi ne peut que sentir la détresse qu'il éprouve lui aussi. Même la caresse habituelle sur sa tête ne l'apaise pas.

Ses doigts tremblent et n'ont l'assurance de rien.

Il l'a bien reconnue, mais… ce n'est pas elle.

Ce ne peut pas être elle. Non. Sa mère, à Mamadi, est joyeuse et expressive. Elle rit, elle chante et danse. Son sourire est brillant et sa voix est claire. Celle qui se trouve devant lui, même si les traits de son visage sont en tous points identiques, n'a rien de tout ça.

— Reste ici, Mamadi. Je reviens.

Mamadi réprime un sanglot. Tout son corps est tristesse. Alors, à la recherche d'un ultime réconfort, il soulève la poupée de chiffon aux longs cheveux nattés et la colle contre sa joue, plante son nez dans sa chevelure de laine, serre Papillon dans ses bras et ferme les yeux.

Un peu plus loin dans la tente, le père de Mamadi s'adresse à sa femme. Lui aussi la reconnait à peine. Elle a les joues creuses et les yeux fuyants, et, bien qu'elle semble reconnaitre sa voix, elle détourne le regard comme si chacune des paroles de son mari lui donnait envie de fuir un peu plus loin. S'il pose sa main délicatement sur son épaule, elle réagit violemment et s'en éloigne un peu plus. Quand, de temps à autre, Mamadi entrouvre les paupières, c'est toujours la même scène qu'il aperçoit : son père murmurant à l'oreille de sa mère, et elle, le visage défait, qui pleure. Absente. Dans un autre monde.

— Il arrive parfois, quand on a vécu un cauchemar éveillé, qu'on préfère le sommeil.

C'est la voix de l'infirmière de tout à l'heure. Elle vient de reparaitre.

— Elle a vécu des choses difficiles, ta mère. Des choses graves qui laissent des traces dans la tête et sur le corps, continue-t-elle avec son drôle d'accent. Mais c'est une femme forte. Bientôt, elle pourra vous rejoindre. Elle va s'en sortir. Avec notre aide, à ton papa, à toi et à moi.

Puis, après avoir marqué une courte pause :

— C'est une jolie poupée que tu as là. Comment se nomme-t-elle ?

— Papillon.

— Eh bien ! Si Papillon veut aussi nous aider, c'est sûr que ta maman se sentira mieux. Tu sais, elle est difficile à reconnaitre comme ça, mais en dessous des apparences, c'est le même cœur qui bat. Courage ! Tu finiras bien par la retrouver.

Et l'infirmière blonde repart comme elle est venue.

Mamadi, quant à lui, ne comprend pas tout ce à quoi l'Européenne a fait allusion, mais il n'en a cure. Il a saisi l'essentiel du message : il faut garder espoir. Pour le moment, du moins. Et il se sent un peu mieux. Les mots rassurants de l'étrangère se sont nichés dans son cœur et il se dit avec confiance que, finalement, même les diamants les plus précieux ne brillent pas lorsqu'ils sont couverts de boue.

Le soleil met parfois du temps à se lever...

La pluie a fini de s'acharner sur le camp et de tracer des rigoles à travers la tente de Mamadi et de son père. Un à un, les nuages s'en sont allés, emportant avec eux leurs coulées de boue et laissant derrière une forêt plus belle, avec des arbres couverts de fleurs, puis de fruits sucrés.

Dans le camp, la vie s'éveille enfin. Les gens quittent leurs abris et sortent au soleil. Ils mettent leurs vêtements à sécher sur des cordes qu'ils tendent entre les habitations de toile. Et dans le vent claquent les tissus colorés des robes et des chandails, comme autant de drapeaux qui saluent le retour du temps sec, remplissant l'air d'un rythme irrégulier. On dirait presque une fête au village.

Mamadi a pris l'habitude de quitter le camp et de parcourir la forêt à la recherche de fruits de teks et de mangues sauvages, qu'il apporte à sa maman.

Cela fait plusieurs jours qu'il l'a retrouvée. Quelques semaines, un ou deux mois peut-être. Pourtant elle lui semble encore distante, étrangère. Elle ne sourit pas, pas beaucoup du moins.

L'infirmière le lui a répété souvent :

— Il faut te montrer patient ; il y a des blessures encore plus graves que l'œil ne peut détecter, et c'est dans son cœur que ta mère est le plus sévèrement atteinte. C'est là qu'elle doit d'abord guérir.

Ce matin, sa mère est debout et elle regarde le ciel bleu et brillant au-dessus des toits de toile.

— Maman !

Elle se retourne et force un sourire. Elle était loin, plongée dans les profondeurs obscures de sa tête où chaque silence parait l'entrainer. Hors de ce monde. Absente. Mais les mots de son fils la font émerger de ses souvenirs.

— Maman, donne-moi ta main. Je t'ai apporté quelque chose.

Et elle tend la main à son fils. Machinalement. Sans enthousiasme.

— Tiens, maman, c'est juste pour toi. Pour toi toute seule.

Il dépose les fruits dans sa paume.

Elle les porte un à un à sa bouche et les savoure. Ça croque sous la dent. Ça éclate de saveur. Ça évoque des souvenirs joyeux. Quelque chose comme un éclat souriant luit soudain au fond de son œil.

— Merci, Mamadi. C'est délicieux.

L'infirmière blonde observe la scène de loin.

Mamadi aide sa mère à refaire sa coiffure. Il apporte une bassine d'eau et une lingette pour sa toilette, et passe une partie de l'après-midi avec elle. À discuter.

— Tu sais, un jour j'aurai un nouveau ballon et je m'entrainerai. Je m'entrainerai des heures durant. Tellement fort que je remplacerai Didier Drogba dans l'équipe nationale. Tu verras.

Et il mime des feintes et des bottés en s'accompagnant d'onomatopées.

— Les Brésiliens, les Italiens, je les vaincrai tous !

Et la mère sourit à l'enthousiasme de son fils. Elle sourit si fort que des larmes s'agrippent à ses cils. Elle est émue de le voir aussi vivant, inaltéré, l'esprit sans tache. Mais quelque chose en elle, quelque idée sombre, refuse d'y croire. Comme si le poids du présent empêchait d'entrevoir demain.

— Tu rêves encore, Mamadi.

Et c'est comme jeter de l'eau sur un feu de joie.

Mamadi se tait et cesse ses sima-grées. Autrefois, elle y aurait cru, sa mère, et elle aurait souhaité qu'il y croie aussi. Autrefois, elle aurait joué le jeu et l'aurait même mis au défi. Elle serait sortie devant la maison et lui aurait lancé le ballon en criant :

— Allez! Montre un peu ce que tu sais faire, Didier Drogba!

Et elle aurait pris la position du gardien en attendant les tirs de son garçon.

Mais elle a changé.

Elle ne fait plus rien de tout ça.

Elle se contente d'un décevant «tu rêves encore» lancé comme ça, platement.

— C'est vrai, maman. Tu as raison. Je rêve.

Et, en lui tournant le dos :

— Je dois y aller, maintenant. J'ai promis à papa de lui donner un coup de main pour le repas.

Bien sûr, il s'agit d'un mensonge. Il n'a pas été question du repas lorsqu'il a pris congé de son père ce matin. Tout au plus, ce dernier lui a-t-il lancé un «tâche de t'amuser et de ne pas faire de sottises» en le voyant s'éloigner. Mais Mamadi ne veut pas faire de peine à sa mère en lui révélant à quel point il la trouve décevante. Ce qu'il voudrait lui dire en réalité, c'est que ce n'est pas elle qu'il aurait aimé retrouver, pas cette femme amère et réservée. Celle qu'il veut revoir, c'est celle d'avant. Celle qui existe encore dans ses souvenirs. Celle qui riait et qui contait des histoires, celle qu'elle était avant toute cette histoire, justement, avant la guerre et l'exode, avant le camp. Dans son village. Mais il ne dit rien. Il ne veut pas laisser libre cours à sa colère. Il craint que la rage qu'il a au ventre éclate dans ses paroles et que ses cris blessent sa mère. Alors, il préfère se taire et ravaler son amertume, et, le cœur lourd et la tête basse, il traine ses savates vers la sortie.

— C'est beau ce que tu fais pour ta maman, interrompt l'infirmière au moment où il sort de la tente.

Mamadi lève les yeux et la regarde.

— Vous croyez ? fait-il, blasé.

— Bien sûr que je le crois. C'est bien pour elle de côtoyer un petit bonhomme plein de vie comme toi. Ça lui donne de l'énergie. Ça lui fait du bien de retrouver son garçon.

Mamadi détourne les yeux.

— On ne dirait pas, pourtant. Elle ne dit rien et, quand elle parle…

L'infirmière continue :

— Détrompe-toi. Elle a encore du mal à montrer ses véritables sentiments. Tu sais, ce n'est pas facile pour elle, mais je suis certaine qu'au fond de son cœur elle connait les mots qu'elle aimerait te dire et que tu aimerais entendre, et les gestes qu'elle voudrait poser pour toi. Il y a juste quelque chose qui l'empêche de les exprimer, une barrière dans son esprit. Mais le jour n'est peut-être pas si loin où elle saura être celle dont tu as besoin.

Mamadi boit les mots de la jeune infirmière.

— Tiens! continue-t-elle. Je vais te raconter une histoire. Tu aimes les histoires, Mamadi?

— Oui, bien sûr! Ma mère m'en racontait tout le temps avant de dormir.

— Eh bien, écoute un peu ceci!

L'histoire de la cigogne

Mamadi ouvre grand ses oreilles tandis que l'infirmière raconte :

— Il y avait une forêt jadis. Une vaste jungle peuplée d'animaux, de fougères et de tout ce qu'il faut pour faire une forêt. Il y avait des ruisseaux et des bêtes qui y vivaient en permanence ou qui étaient de passage. Et, parmi toute cette vie, s'élevait un arbre grand et fort. Un arbre superbe. Il avait survécu à toutes les tempêtes, à tous les feux de broussaille. Il en avait vu des arbres et des herbes bruler, et des animaux fuir aussi. Maintes fois, ses racines avaient résisté aux crues les plus violentes, et ses branches aux vents les plus forts. Or, les autres arbres n'avaient pas sa stature ni son endurance et, peu à peu, la forêt autour de lui disparaissait. Déjà, les animaux avaient déserté et il ne restait plus que quelques oiseaux migrateurs qui se posaient de temps à autre sur ses branches. Malheureusement, à force de catastrophes, il finit par se trouver seul au milieu d'un immense désert. Plus rien ne poussait autour de lui. Mais il dura. Un moment du moins. Mais le vent soufflait si fort que, un jour, le vert de ses feuilles se mit à ternir et, à la fin, elles se mirent à tomber une à une. Et les quelques oiseaux qui venaient encore s'y percher cessèrent peu à peu de s'y arrêter. Il était complètement défolié. Tout à fait seul. On l'aurait dit mort. Son écorce, usée par le vent chargé de sable, avait désormais la même couleur que la terre aride qui l'entourait. Et il devint, pour ainsi dire, invisible. Ne subsistait de lui que son ombre qui s'étirait, fine et noire sur le sol, et se déplaçait au gré du mouvement du soleil comme la trotteuse d'une horloge mécanique. Puis vint un jour où une jeune cigogne, qui s'était égarée en rentrant d'Europe, repéra cet arbre tout sec et sans feuilles.

En fait, elle ne vit pas l'arbre, mais aperçut son ombre sur le sol, et suivant ce fil noir et long, elle finit par trouver une branche où se percher. Elle était remplie de tristesse et elle avait peur, comme ont peur les enfants qui se perdent. Ses ailes étaient lourdes de l'avoir portée pendant un si long voyage. En proie au désespoir, fatiguée et désorientée, elle se mit à pleurer. Et elle pleura fort toutes les larmes de son corps. On raconte qu'elle pleura tant et si longtemps que ses pleurs coururent sur ses joues et le long de son cou, puis formèrent une rigole. Celle-ci coula le long de la branche où elle était et, enfin, le long du tronc du grand arbre, pour se rendre jusqu'au sol et former une flaque à son pied. Le contact de cette eau vive éveilla une graine en dormance, une graine qui reprit vie et germa. Une seconde fit pareil. Bientôt, quelques fougères sortirent du sol et, au bout de la branche qui servait de perchoir à la cigogne, une fleur bourgeonna. Mais l'oiseau ne vit rien de tout ça tant sa douleur était grande. Cependant, d'autres cigognes migraient en cette saison et, habituées au paysage aride et uniforme qu'elles survolaient, elles avaient repéré cette tache verte que leur sœur avait fait naitre au milieu du désert. Cela piqua leur curiosité et elles décidèrent de changer leur itinéraire pour aller voir de quoi il s'agissait. C'est là qu'elles retrouvèrent la pleureuse égarée. Euphoriques, elles se posèrent près d'elle et joignirent leurs larmes débordantes de joie à celles de leur amie perdue. Cette dernière se rendit compte qu'elle n'était plus seule et sa tristesse se transforma en bonheur. Le bourgeon fleurit, puis devint fruit, et le fruit finit par flétrir et devenir graine avant de tomber au sol. Pendant tout ce temps, les cigognes étaient là, à pleurer de joie, et leurs larmes firent une fois de plus germer la graine. Elle devint arbre, et cet arbre produisit des fruits qui se transformèrent en graines, puis en arbres à leur tour. Les animaux revinrent se nourrir dans la forêt renaissante et s'y abriter. De nos jours, il règne à cet endroit une forêt nouvelle, née de l'ancienne qui, au fond, n'avait jamais vraiment cessé d'exister sauf pour les yeux. Tout ce qu'il fallait, c'était patienter, attendre qu'elle retrouve sa vitalité. Il a fallu quand même aussi pleurer un peu. Bien sûr, les cigognes n'y pleurent plus aujourd'hui, mais elles s'y arrêtent chaque fois qu'elles le peuvent pour se reposer.

Mamadi regarde la jeune infirmière avec stupéfaction. Ses grands yeux semblent en demander encore et encore. Encore de ces arbres! Encore de ces oiseaux! Encore de cette leçon sur les apparences et sur l'espoir!

— C'est une chouette histoire, madame.

L'infirmière sourit.

— Je suis contente que tu l'aies aimée. En passant, tu peux m'appeler Élise.

Puis, elle continue :

— L'équipe traitante et moi, nous avons pris une décision : ta mère aura son congé demain. Mais elle devra revenir chaque semaine pour qu'on fasse le suivi de son état. Tu vas bien vouloir l'accompagner ? En attendant, rappelle-toi que c'est au contact du vivant que la vie retrouve le courage de croitre. Tu veux bien te le rappeler ? Fais-le pour moi. Fais-le pour ta maman.

Mamadi acquiesce.

— Je le ferai, promis.

Au fond de son être, il sait désormais qu'elle ira mieux ; alors le cœur rempli de joie, il court, il vole, sur le chemin du retour.

Demain, il retournera dans la forêt. Il reviendra déposer une poignée de fruits juteux au creux de ces mains qui l'ont tant de fois bercé, caressé, réconforté. Il sera là chaque jour pour voir renaitre la lueur de vie au fond de l'œil de sa mère, comme des braises sur lesquelles on souffle afin d'attiser le feu.

Il réservera aussi quelques fruits pour Élise.

Souvenirs de Fatima

La mère de Mamadi a quitté l'hôpital et, au fil des jours, un nouvel ordre s'est établi dans la demeure temporaire de la famille — quoique temporaire soit un mot aux résonnances étranges vu le temps qui a passé depuis leur arrivée dans le camp de Grand Gedeh. Tout d'abord, à trois, la paillasse est plus petite et les nuits plus courtes. Souvent, Mamadi est réveillé par les rêves agités de sa mère. Parfois, il essaie de la calmer dans son sommeil en lui chantant des berceuses. D'autres fois, c'est son père qui essaie vainement de faire de même en multipliant les paroles et les caresses rassurantes. Il y a des nuits où elle se réveille en sueurs et pleure jusqu'au matin. Ces nuits-là, elle veut qu'on la laisse seule. Alors, elle se lève, secouée de sanglots spasmodiques, et fait les cent pas dans la tente. Il y a aussi des nuits où tout va bien. Où le sommeil n'est accompagné que du chant des oiseaux nocturnes. Le jour, elle prend en charge la gestion de la maison. Elle range, voit aux repas et à la lessive. Bien qu'elle s'enferme à l'occasion dans le mutisme, il arrive qu'elle partage un souvenir joyeux, qu'elle ait une pensée pour l'avenir.

Elle prend du mieux.

Mamadi ne porte plus de chaussures. Ses orteils ont fini par en défoncer le bout. Il va pieds nus par les allées poussiéreuses du camp dans ses vêtements devenus trop petits malgré le fait qu'il maigrisse un peu plus chaque jour. Il manque de tout dans ce camp et les rations de nourriture qu'on distribue aux réfugiés suffisent à peine.

Pourtant, ça ne l'empêche pas de se rendre à l'hôpital pour échanger un mot avec Élise lorsqu'il accompagne sa mère à ses visites. Elles s'espacent de plus en plus toutefois, ces rencontres, alors Mamadi invente des prétextes.

— Ma mère n'est pas ici?

— Mais non, Mamadi, ta mère n'est pas ici.

— Ah! J'aurais pourtant cru.

Puis, une autre fois :

— Je pensais que c'était aujourd'hui son rendez-vous…

— C'est lundi son rendez-vous.

— Ah!

Chaque fois, c'est l'occasion de revoir Élise et de recevoir une tape derrière l'épaule, une caresse dans les cheveux, un mot d'encouragement, un sourire. Elle n'est pas dupe, Élise.

Depuis quelque temps, Mamadi pense à Fatima. Ça lui prend au réveil, en voyant Papillon, la poupée de chiffon, échouée sur la couchette de paille. Il faut dire qu'il ne la traine plus toujours avec lui, la poupée de Fatima. Au début, à son arrivée au camp de Grand Gedeh, il ne faisait jamais un pas sans elle. Il avait promis à la fillette que sa poupée verrait du pays et il entendait bien tenir sa promesse. Mais le temps a passé. Le voyage s'est arrêté et, déçu de l'immobilité, Mamadi a peu à peu relégué ce jeu à l'oubli. Il laisse plutôt Papillon à la maison, où elle fait partie du décor. Et, le plus souvent, il ne lui porte aucune attention. Elle n'est plus qu'un objet comme un autre. Sans utilité réelle. Il se surprend tout de même à lui parler à l'occasion, à lui glisser un mot de temps à autre. Alors, il repense aux longues heures passées avec elle et Fatima à jouer au grand frère, au piaillement incessant de la petite voix de la fillette parlant de tout et de rien, du sens des choses. Parfois, il s'imagine avec elle et la voudrait près de lui pour la prendre dans ses bras et déposer un baiser tendre sur sa chevelure.

Mamadi a grandi.

Cette semaine, on a fêté son anniversaire. Était-ce le bon jour? La bonne semaine? Le bon mois? Personne ne le sait. C'était la bonne saison, c'est toujours ça de pris. De toute façon, personne ne se soucie du calendrier quand le temps est en suspens. Ses parents ont célébré son anniversaire en le laissant manger un peu plus de riz que d'habitude. Il n'a pas touché à sa ration supplémentaire, il a préféré la partager. Il aurait aimé que Fatima soit à table avec eux.

Pour partager le repas avec elle comme autrefois.

Pour lui dire qu'il l'a retrouvée, sa maman.

Enfin, presque. Pas complètement.

Elle doit encore prendre du mieux...

Mais il peut désormais lui rendre la sienne, sa propre maman à elle.

— Et toi, Fatima, est-ce que tu l'as retrouvé, ton papa?

Une lettre pour Fatima

Il y a longtemps que Mamadi n'est pas allé à l'école. Ce n'est pas sa faute : d'école, il n'y en a pas ici. Ni de papier ni de crayons, d'ailleurs. Alors, parfois, en levant les yeux au ciel, Mamadi cherche à tirer des leçons du vol des oiseaux ou de celui des papillons. Et, à l'aide d'un bâton, il s'exerce à l'arithmétique en traçant des équations simples dans le sable. Six plus trois égale neuf et neuf plus un : dix.

Il y a aussi Mohamed et Abdoulaye, deux garçons habitant à l'autre extrémité du camp, qu'il a rencontrés à l'hôpital par hasard un matin où ils passaient une batterie d'examens de santé — l'un souffrait d'étourdissements, l'autre avait de la fièvre — et avec qui il joue parfois quand ils en ont la force ou l'envie.

Parce que, avec le temps, elles finissent par partir, la force et l'envie.

L'espoir aussi.

La santé, elle, va et vient.

Et il ne reste plus que le fil des jours qui s'étirent. Heureusement, à l'occasion, la monotonie se brise quand Abdoulaye et Mohamed l'interpellent pour jouer au ballon — ce n'est qu'une manière de parler, parce qu'ils n'en ont pas de ballon. Ils enlèvent leurs chandails et les roulent en une boule qu'ils pourchassent dans les allées du camp en la bottant, au grand détriment des habitants rendus amorphes par le soleil de plomb et au dam de leurs parents qui les voient salir encore ces vêtements qu'ils ne pourront pas laver, faute d'eau.

Mais leur sourire vaut bien un peu de crasse.

Ce matin, le jeu s'est déroulé en direction de l'hôpital ; c'est sur le chemin de celui-ci que Mamadi a croisé ses deux amis.

— Attrape ça ! a crié Mohamed en bottant la boule de linge dans sa direction.

Mamadi l'a réceptionnée de la poitrine, l'a récupérée du pied droit, puis du gauche, genou, genou, tête et hop! il s'est lancé à la course en criant à son tour :

— Essayez un peu de me l'enlever, fillettes!

Il drible bien, Mamadi. Il court vite aussi. Si bien qu'il a conservé le ballon en évitant les ouvriers qui vont et viennent en transportant du bois, de la brique et de la tôle autour de la grande tente qui abrite l'hôpital, et ce, malgré tous les efforts qu'ont déployés Abdoulaye et Mohamed pour le lui soutirer. Et c'est là seulement, devant la porte, qu'il le leur a rendu d'un botté précis.

On construit un hôpital. Un vrai. Le père de Mamadi, comme plusieurs hommes ayant une santé décente, y a trouvé un travail. Bizarrement, Mamadi n'y voit rien d'heureux. Il l'aimait bien quand il se voulait temporaire, cet hôpital. Désormais, c'est comme si chaque brique fournissait la preuve qu'ils sont dans le Grand Gedeh pour y rester.

Maintenant, il se dirige, encore essoufflé, vers l'endroit où, le plus souvent, il croise Élise. De la sueur coule sur son front et dans son dos. Mais cette course dans les allées poussiéreuses lui a fait du bien.

Mamadi finit par croiser l'infirmière blonde. Il fait mine que c'est par hasard. Elle marche d'un pas décidé, un dossier à la main. Il est inséré dans une chemise en papier jaune, le dossier.

En apercevant l'enfant, elle lui sourit.

— Bonjour, Mamadi.

Dans la poche de sa chemise, la jeune femme a glissé trois stylos : un noir, un vert et un rouge. Elle les porte à la manière de monsieur Koité — c'est bête, c'est ce matin, dans cet hôpital de campagne perdu au cœur de la forêt, que Mamadi réalise qu'il ne connait même pas le prénom de son instituteur, de celui qui lui a appris à lire et à écrire, à compter aussi, et dont il récitait les leçons à sa mère le soir.

Dans sa maison.

Dans son village.

Avant cette nuit où tout a basculé.

Dans la tête de Mamadi, les idées se bousculent. Dans son âme, une émotion indescriptible voit le jour. Un mélange de joie, de tristesse où la mélancolie et l'espoir s'entremêlent et lui font monter les larmes aux yeux.

— Ça ne va pas, Mamadi ? questionne la jeune infirmière en remarquant les larmes qui naissent à la racine des cils du garçon.

Alors, tout en cherchant ses mots et en enchainant les explications incompréhensibles, Mamadi lui raconte l'école, le village, la fuite, sa maman. Émue, la jeune femme se penche vers lui et pose une main sur son épaule.

— Tu aimerais bien que tout ça ne se soit jamais produit, n'est-ce pas, Mamadi ?

Elle ne pourrait pas voir plus juste.

— Tu voudrais retourner dans ton village et tout reprendre comme c'était avant de le quitter.

C'est sûr qu'elle lit dans son âme...

— Tu sais...

Elle se tait et, dans un élan de tendresse, serre le garçon contre son cœur. Elle le serre si fort que Mamadi croirait reconnaitre dans cette caresse la même tendresse que celle qu'exprimait sa mère quand il était plus jeune et qu'il rentrait à la maison en pleurant, après s'être disputé avec un voisin. Exactement la même tendresse.

Ça lui fait du bien.

Au bout d'un instant, la jeune femme relâche son étreinte et fixe son regard dans celui du garçon.

— Tu sais, reprend-elle, si je te donne une feuille et un crayon, tu pourrais lui faire un dessin, à ta mère. Je suis certaine que ça lui ferait plaisir d'avoir un dessin de son fils, tu ne crois pas?

Mamadi est d'accord. Même qu'il en est convaincu. Avec un crayon et du papier, il lui en tracerait des dizaines, des dessins! Des animaux! Des maisons! Des oiseaux! Des papillons!

Papillon...

Son regard s'embrume une fois de plus.

— Qu'est-ce qui ne va pas, Mamadi?

— Rien. C'est juste que je ne suis pas très bon en dessin... et aussi, j'aimerais écrire une lettre à Fatima.

— Fatima? Qui est Fatima?

Mamadi hésite.

Enfin, il répond :

— C'est ma sœur.

À l'ombre de la tente

Mamadi est assis en tailleur à l'ombre de sa tente. Au-dessus de sa tête, les nuages blancs défilent sur fond bleu. Papillon est installée à côté de lui, son dos appuyé au mur de tissu. Son unique feuille est posée sur le sol devant lui et il hésite entre écrire et dessiner. Les idées ne viennent pas ou alors elles apparaissent toutes en même temps.

Le crayon dans la bouche, il cherche ses mots.

Chère Fatima,

Jusque-là, c'est évident. Les lettres, ça commence comme ça.

Mais c'est après que ça se complique.

Mamadi n'a qu'une feuille et il voudrait tout dire en même temps : sa joie d'avoir retrouvé sa mère et son espoir devant l'amélioration de son état de santé ; le périple qui l'a amené ici, dans ce camp plus pauvre et plus populeux

que le précédent; le bonheur et l'inquiétude qu'il ressent quand il pense à
elle, Fatima, abandonnée derrière, sans
même sa poupée pour la réconforter;
seule, toute seule avec sa maman.

Les nuages continuent leur cortège et
l'ombre se déplace. Mamadi sent la chaleur du soleil sur ses pieds nus couverts
de poussière.

Chère Fatima,

J'espère que tu vas bien…

Il lève les yeux au ciel et contemple
l'immensité de l'atmosphère. Ils tracent
des formes étranges dans le ciel, les nuages. Ici, une femme qui danse. Là, un
enfant qui court. Un singe. Un chien. Un
papillon. Fatima voit-elle les mêmes?
Réfugiée dans son camp lointain, dans
la longueur des jours qui s'étirent sous
le soleil et tous ces gens qui baissent les
yeux, lui arrive-t-il encore de lever les
siens au ciel?

Mamadi secoue la tête. Ça ne va pas.

Il biffe ses premiers mots.

Chère Fatima,

Papillon et moi espérons que tu vas bien.

Elles sont loin dans sa tête, les règles de grammaire de monsieur Koité. Et les doigts maigres de Mamadi ont perdu l'habitude de tracer les lettres avec précision sur le papier. Mais peu lui importe ; il persévère. Chacun des mots qu'il parvient à écrire, il le corrige du mieux qu'il peut, comme à l'école, comme dans les leçons que supervisait sa mère au fond de sa case. Chaque phrase l'accroche à la vie, lui fait revivre ses aventures, comme ses jeux avec sa sœur d'emprunt, comme les feintes et les courses exécutées avec Mohamed et Abdoulaye dans les allées du camp. À la fin, c'est toute sa vie qui prend forme sur la feuille. En mots. En phrases. Comme si, enfin, toute cette histoire retrouvait un sens pour lui. Un ordre rassurant.

Le soleil tape maintenant sur sa tête. Peu lui importe. Il écrit.

Et tous y passent : Mohamed, Abdoulaye, Didier Drogba et Élise. Ses idées se bousculent. La chaleur, la soif, la faim, la joie et la peine, tout !

Il écrit jusqu'à avoir mal au bras.

Une lettre qu'il n'enverra jamais.

Mamadi arrête un instant. Pour se reposer un peu. Puis, il retourne sa feuille et entreprend d'y tracer un dessin. Il s'y place avec sa mère et son père, devant un grand arbre couvert d'oiseaux et sous un ciel rempli d'étoiles. Les traits ne sont pas parfaits, il n'a jamais été bon en dessin. Certaines lignes manquent de finesse, quelques courbes sont anguleuses. Mamadi l'aurait voulu magnifique, son dessin. Il ne l'est pas. Lui, c'est au ballon qu'il a du talent. Sa maman le sait.

Tiens !

Justement. S'il en traçait un à ses pieds, un ballon, ça ajouterait un peu de bonne humeur à la scène et… ça rappellerait la vie. Celle d'avant.

Alors, du bout de son crayon, Mamadi trace un cercle sur son dessin.

Puis, sur la feuille, il étire le sourire de tous ses personnages.

Bruissements dans la nuit

Mamadi n'arrive pas à fermer les yeux. Au lieu de ça, il les a bien ouverts. Couché sur le dos, il fixe le vide dans l'obscurité de sa tente. Il tient sur son cœur la feuille qu'il a noircie durant le jour. Le dessin pour sa mère. La lettre pour Fatima. Il les a toujours en sa possession, il n'a pas voulu s'en départir. Bien sûr, le dessin, il l'a fait pour sa mère. Mais la lettre? Comment faire parvenir le dessin et la lettre à leur destinataire respectif? Comment séparer cette feuille en deux dans le sens de l'épaisseur? Autant fendre un cheveu en quatre!

Papillon est sur la paille à sa gauche. À droite, le souffle calme et régulier de sa mère est la seule preuve de sa présence. Derrière celle-ci, son père.

Dans toute cette absence de lumière, Mamadi sent ses pensées s'obscurcir. Il ne sait plus depuis combien de temps il n'a pas dormi dans un lit confortable ni combien de ses anniversaires on a oubliés. Mais c'est secondaire. Tout ce qu'il sait, c'est qu'il grandit le ventre vide et que les jours se suivent sans apporter le moindre espoir. Le temps est sec. Il a soif. Il a beau s'efforcer de répéter les leçons de monsieur Koité, personne n'est là pour valider la justesse de ses raisonnements, la clarté de ses explications. Les jours où il a la force de courir et de jouer au ballon se font plus rares. Parfois, l'envie même de marcher jusqu'à l'hôpital ne se manifeste pas. Sa vie est en suspens. Son père, qui depuis le début entretenait les braises de l'espoir, faisait voir le beau côté des choses et s'efforçait d'être rassurant, se terre lui aussi dans le mutisme. Il ne le dit pas, mais Mamadi comprend que, pour lui, la force qui l'habitait et le poussait à franchir les obstacles et à garder la tête haute a fini par s'amenuiser. Son père, à force d'immobilité, s'enlise, s'atrophie et courbe l'échine. Heureusement, sa mère prend du mieux. Il lui arrive même de fredonner quelques mélodies, de conter quelques histoires. Mais elle ne brule toujours pas du même feu qu'autrefois. Ses yeux et son sourire ne sont plus des étoiles aussi brillantes qu'avant. Il a toutefois confiance : ce n'est désormais qu'une question de temps. Sa maman reviendra.

Ce soir, il n'y a pas de lune ; autrement, on devinerait des ombres derrière les pans de toile. Il n'y a pas de bruit non plus. Normalement, les pleurs des bébés que la faim tenaille et la mélodie des berceuses chantonnées par leurs mères pour les apaiser meublent l'air immobile. Ce soir, même eux n'ont que la force de se taire. Malgré toute l'épaisseur du silence et l'immobilité apparente de la nuit, Mamadi perçoit soudainement un son. Un bruissement léger. Comme le froissement d'un tissu qui se déplace lentement. Des pas. Oui, c'est bien un bruit de pas. Des dizaines de pas qui se meuvent dans un silence presque total à travers les allées endormies du camp.

Un frisson s'empare de son corps. Mamadi a peur. Qui peut bien s'introduire ici en pleine nuit ? Et pour quelle raison le faire aussi furtivement ?

Mamadi promène ses pupilles sur les murs et le plafond de sa tente, cherchant le moindre élément auquel s'accrocher, la moindre parcelle de réponse, le moindre morceau de réel pour empêcher la panique d'envahir son imagination et de s'emparer de son corps. Ses parents dorment. Doit-il les réveiller ? Et comment leur faire comprendre son effroi en silence dans les ténèbres ?

Soudain, il sent la petite main de chiffon de Papillon sur sa gauche. Il la serre doucement entre ses doigts.

Or, si tenir la main de Papillon apaise Mamadi en dedans, ça ne change rien à ce qui se passe au-dehors et à la horde de ceux qui avancent en silence dans les allées du camp. Combien de mères, de pères, d'enfants trop maigres retiennent leur souffle, terrorisés à l'idée de ce qui pourrait arriver ? Personne en ces circonstances ne repousse la fatalité du revers de la main.

Puis, ça finit par survenir.

D'abord un cri.

Puis une déflagration.

Suivie d'une autre et d'un autre cri.

Le ciel opaque s'illumine d'éclairs successifs et trace des ombres stroboscopiques sur la toile de la tente. Des images comme celles de la nuit fatidique où a commencé cette nouvelle vie dont Mamadi n'a jamais rêvé.

À sa droite, son père se redresse en sursaut. Sa mère reste étendue, immobile, les yeux ouverts. Après un moment dont on ne saurait mesurer la longueur, l'homme, le père et l'époux, s'allonge de nouveau auprès de sa famille et serre la femme et le fils du plus fort qu'il peut dans ses bras maigres. Et le fils ne dit rien. Et la femme ferme les yeux.

Dehors, à travers le crépitement des coups de feu, des voix retentissent de part et d'autre du camp :

— Nous vaincrons !

— Nous vaincrons !

Tandis qu'au creux de l'oreille de Mamadi, le souffle syncopé du père semble murmurer :

— Ne t'en fais pas, mon fils. Tout ira pour le mieux.

Au lever du soleil

Au pépiement des oiseaux matinaux s'ajoute le cri des vautours. Le soleil se lève sur la désolation du camp. Partout des hurlements de détresse, des corps étendus, des tentes démolies. Des bébés crient, des parents pleurent. On compte les morts et les survivants. On appelle les disparus par leur nom. Dix, douze ans pour la plupart.

Mamadi est toujours là.

Les pillards l'ont oublié.

Il a eu de la chance.

Il n'a pas fermé l'œil de la nuit. Il est demeuré en silence collé à son père et à sa mère, à attendre qu'arrête l'échauffourée et, quand les coups de feu ont fini par cesser, dans la terreur qu'elle reprenne. Les membres de la famille soudés l'un à l'autre dans un entremêlement d'os et de peau tendue.

Et le soleil s'est pointé.

Et les cris ont recommencé.

Mamadi se lève. Il se dirige vers la porte.

Ses parents le supplient de rester avec eux, ici, en sécurité dans leur abri.

Mamadi n'obéit pas.

Quand il sort de la tente, ce n'est pas de la peur qu'il ressent. Pas de l'horreur. Ni du dégout. Ce qu'il ressent, c'est une sorte de tremblement dans le mollet, une vibration au niveau du genou. Une envie folle de courir, de faire lever la poussière et s'envoler les oiseaux. Courir. Comme si cette action réunissait toutes les autres. Courir de rage. Courir d'espoir. Courir à tue-tête. Sentir son cœur battre de plus belle dans son corps moribond et ses pieds marteler le sol, bondir par-dessus les cadavres et les piquets brisés, les pans de toile éventrés, éviter les indigents, bousculer les stoïques. Et courir.

Chercher Abdoulaye et Mohamed pour courir avec eux à la face du monde.

Courir jusque dans les bras d'Élise.

Le monde sur une feuille

— Tu n'aurais pas dû faire autant d'efforts, Mamadi.

La voix qui parle est celle d'une femme inquiète. Mamadi reconnait l'accent d'Élise.

Son esprit est trouble, en marge du monde. Il a couru ; ça, il le sait. Il a couru jusqu'à en perdre connaissance, mu par la folie, comme s'il n'y avait rien d'autre à faire que courir. Et on l'a retrouvé face contre terre au détour d'une allée.

— Il ne fallait pas courir comme ça jusqu'à l'épuisement. Maintenant, tu vas devoir reprendre tes forces. Tu t'es mis dans un piteux état. Ton corps a besoin d'eau.

Mamadi ouvre les paupières. Autour de lui, tout est criant de lumière, d'une clarté qui brule les yeux. Il distingue, comme derrière un voile de brume laiteuse, le visage attentionné de la jeune

Européenne. La blondeur de ses cheveux lui rappelle le soleil.

— Bois ceci, ça va te réhydrater.

Elle glisse une main derrière sa nuque et lui soulève la tête en approchant un gobelet rempli de liquide blanchâtre de ses lèvres.

Il boit.

Ce n'est pas bon, mais il boit tout de même.

— Dors, maintenant. Tu as grand besoin de repos.

Mamadi ferme les yeux. Son sommeil l'entraine à travers la forêt, à vol d'oiseau. Sous lui, il n'y a que du vert ; au-dessus, que du bleu. Puis, çà et là apparaissent les parcelles brunâtres des champs défrichés et les toits de chaume des cases d'agriculteurs, qui s'activent paisiblement sur leurs terres. Une rivière. Des rizières. Puis, son village au centre duquel trône un immense arbre couvert d'oiseaux bleus. Des dizaines de personnes, hommes, femmes et enfants, y sont attroupées, profitant de l'ombre et des paroles d'un vieux sage qui parle et chante en s'accompagnant de la kora.

— Comment va-t-il?

Mamadi entend la voix de son père. Le village, les terres et les rizières, la forêt s'effacent.

— Il prend du mieux. Enfin… il se repose.

Cette voix, c'est encore celle de l'infirmière. Elle continue :

— Le problème, monsieur, c'est que nous manquons de personnel et qu'il y a de nombreuses personnes à soigner. Et depuis l'attaque de l'autre jour, nous manquons d'eau.

L'autre jour? Depuis combien de temps dort-il?

Silence.

— Ils nous ont pris des médicaments et beaucoup d'eau. Ce qu'ils n'ont pas pu emporter, ils l'ont détruit.

Nouveau silence.

L'esprit de Mamadi s'envole à nouveau, cette fois à vol de papillon. Un papillon de nuit qui file sous des milliards d'étoiles rassemblées en images brillantes et bleues. Des images où se noient les yeux levés au ciel de la petite Fatima, dont il distingue à peine les traits dans la nuit. Mais elle est là, quelque part, il le sait.

Puis, le jour se lève et chasse le papillon.

Mamadi ouvre les yeux. Son père est assis auprès de lui. Sa mère est là aussi, au bout du lit, silencieuse.

— Tu ouvres enfin les yeux, mon garçon. Je suis content de te parler. J'ai des choses importantes à te dire.

— J'ai dormi combien de temps?

— Je ne sais pas. Trois jours, je ne sais plus.

— Je me sens tout drôle. J'ai soif.

— Je sais, mon garçon. Nous avons tous soif.

Mamadi remarque alors la maigreur sur le visage de son père. Jamais il ne l'a vu aussi maigre. Il n'est que peau tendue sur des os saillants. Même ses lèvres sont sèches, fines, cadavériques. Il a l'air d'une momie, son père, semblable à ces gens qu'il avait vus massés à la frontière, avec les yeux ronds et les dents qui claquent. Il se dit qu'aujourd'hui, c'est lui qui revêt leur air moribond, qu'au fond il est désormais comme ces gens.

Le garçon voudrait pleurer, mais il n'en a pas la force.

— Mamadi, mon fils, reprend le père, tu dois m'écouter.

Et il dépose une grande feuille de papier pliée plusieurs fois sur le ventre du garçon.

— Je vais partir, mon fils, commence-t-il en se penchant vers lui, comme s'il fallait que ce soit un secret.

Mamadi ouvre de grands yeux.

— Je vais partir, il le faut.

Tout en parlant, il défait un à un les plis de la feuille sur le ventre de son enfant, découvrant les traits tantôt droits, tantôt sinueux d'une mappe-monde.

— Il n'y a pas de vie ici, pas d'ave-nir. Nous mourons à petit feu, regarde-nous! Cette maudite guerre nous a pris le peu que nous possédions. Et, comme si ce n'était pas assez, elle nous traque et nous pourchasse même loin de notre village. On a eu beau changer de pays, elle nous frappe encore. De plein fouet. Regarde-nous!

Puis, il se tait. Jette un œil plein de pitié à sa femme. Elle, elle détourne les yeux. Elle ne peut soutenir ce regard. Mamadi, lui, n'en croit pas ses oreilles. C'est la première fois qu'il mesure la profondeur du désespoir de son père : son père qui, d'habitude, semble si sûr de lui, maitrise le moindre de ses gestes et paroles, a parlé en bégayant. En trem-blant.

Maintenant, il inspire profondément, retrouve son calme, se penche de nouveau sur son fils et, d'une voix posée :

— Il y a longtemps, au cœur de la forêt, je t'ai promis une aventure, tu te souviens ? On en a fait du chemin depuis. Mais notre voyage s'est interrompu et nous voilà coincés dans ce mouroir.

Silence.

Puis, il reprend :

— Il y a longtemps que je ne t'ai pas vu sourire, mon fils. Et je veux te voir sourire. Nous avons promis à celui qui nous a amenés ici que nous souririons. Que nous vivrions.

Mamadi comprend. Son père tiendra ses promesses.

Il pose son index au centre de la carte dépliée sur le ventre de son garçon.

— Tu vois, notre village est situé à peu près ici.

Il glisse son doigt un peu sur la gauche.

— Et maintenant, nous nous trouvons ici. Ça fait longtemps que nous n'avons pas bougé. Tu as grandi. Et les aventures peuvent s'échelonner sur toute une vie, tu sais. Nous sommes prêts pour la suite. Voici ce qui va se passer.

Avec son doigt, le père de Mamadi trace un itinéraire imaginaire sur la carte. Il se rendra d'abord à Bamako, puis à Tripoli. De là, il embarquera sur un bateau vers Lampedusa, en Italie. Le voyage sera sans doute très long et parsemé d'embuches. Mais c'est là qu'il s'arrêtera. Et quand il y sera, il leur enverra des nouvelles.

— En attendant, tu dois prendre soin de ta mère. Désormais, c'est toi l'homme de la famille.

Puis, il se tait. Dépose un baiser sur le front de Mamadi. Se relève. Caresse les cheveux de sa femme. Part.

Retour à la case départ

Mamadi quitte l'hôpital avec sa mère en emportant la carte du monde. Son père, il ne l'a pas revu depuis plusieurs jours. Il ne les a pas comptés. Mais il sait trop bien le vide que laisse son absence. Depuis longtemps — combien de temps déjà? — son père a été l'unique pilier qui a empêché le monde de s'écrouler. Et le voilà absent. Alors, il chancèle, le monde.

On lui a remis de nouveaux vête-ments. Des trop grands pour remplacer ceux qu'il avait, trop petits. Un chandail rouge, délavé, au col usé. Un pantalon gris, dont le genou gauche a été rapiécé et dont il doit rouler le rebord. Mamadi n'a pas revu Mohamed ni Abdoulaye et a le sentiment qu'il ne les reverra plus, qu'ils sont disparus dans cette nuit d'en-fer. Avec plusieurs autres. D'ailleurs, on dirait bien qu'en plus de l'eau potable et des vivres, ce sont les enfants que sont venus chercher les pillards. On n'en compte plus que quelques-uns, blessés ou malades, dans ce quartier du camp et aucun n'a le cœur à rire.

Mamadi, triste, se laisse guider par sa mère dans les allées de terre battue, à travers les tentes. Le temps s'est arrêté. Rien ne bouge. Les gens assis çà et là à même le sol les suivent des yeux en silence. Personne ne court. Personne ne joue. Personne ne parle. Ils n'en ont pas la force et, d'ailleurs, qu'auraient-ils à se dire ? Ce sont ceux qui ont la capacité de marcher qui paraissent étranges. Et c'est souvent à ça qu'on reconnait le lieu de leur provenance : l'hôpital. Celui-là a mangé : il vient de l'hôpital. Celle-ci a bu : même chose.

La tente est semblable à ce qu'elle était au moment où il l'a quittée. Fixée dans l'immobilité elle aussi. Sans la présence du père, elle semble plus grande toutefois.

Mamadi y entre.

À part la paille entassée au fond, les quelques bouteilles en plastique vides pour la plupart, un sac entamé de boulgour et la gamelle qu'on retrouve dans un coin, l'espace est désert.

Abandonné.

Vide.

Sauf que, sur la paillasse, Mamadi remarque quelque chose : un bout de papier, une feuille pliée, la forme d'un bateau. Il s'approche, intrigué, et saisit l'objet. Dans les quelques mots et les traits interrompus par les plis qu'il y voit, Mamadi reconnait sa lettre. Son dessin. Et, dans le triangle formant la timonerie, juste au-dessus de la coque, il lit ces mots : « Je pars en voyage. Je reviendrai. » Et c'est signé : « Papillon ». Le regard de Mamadi s'illumine soudain. Il se retourne, regarde sa mère, qui lui renvoie son sourire sans trop comprendre pourquoi, puis sort de la tente. Il a Fatima dans la tête. Il voudrait la prendre dans ses bras et lui dire, lui crier, qu'il tient sa promesse, que Papillon a repris son voyage, qu'elle vogue sur un bateau de papier et qu'elle voit enfin du pays!

Un vent sec s'est levé et soulève la poussière.

Mamadi s'empare aussitôt du bâton appuyé contre le bord de la tente, celui-là même qu'il utilisait pour répéter les enseignements de monsieur Koité et, comme mu par une force invisible, se met à tracer des mots que le vent emporte au fur et à mesure, des phrases chargées d'espoir et transportées dans les airs par l'harmatan, des mots pour Fatima.

Il comprend que c'est la chose à faire, alors il la fait chaque jour, sous le regard amusé de sa mère. Ça entretient la lumière.

Et les saisons s'enchainent. Après le temps sec vient la pluie, colportant en rigoles les mots de l'enfance qui s'érode. Quelle distance parcourent-ils? Mamadi a la certitude qu'ils aboutissent tous dans les yeux de Fatima. Et ça lui suffit. Sa mère, quant à elle, a décousu l'ourlet de sa robe et, à l'aide du fil ainsi récupéré, a attaché au plafond la carte du monde afin d'éviter qu'elle se salisse.

Déjà, elle la consulte et essaie de deviner l'endroit probable où se trouve son mari. Avec qui est-il? Que fait-il?

Le temps passe et elle prend du mieux. Le désordre de l'attaque nocturne ne semble pas l'avoir affectée. Peut-être est-ce le besoin urgent de se consacrer à son fils qui lui sert de bouée de sauvetage et lui permet de ne pas sombrer. Elle cuisine, fait sa toilette et a même recommencé à raconter des histoires à Mamadi. Chaque soir. Elle n'en manque plus un. Il grandit si vite, Mamadi! Bientôt il ne sera que le souvenir du garçon qu'elle berçait au village. Il est aux petits soins, il multiplie les attentions; il est l'homme de la maison... Il redonne un sens à la vie.

Et la saison sèche remplace la pluie.

Bamako, Tripoli, Lampedusa

Un jour, un employé de l'ONU apparait à la porte de la tente. Il leur tend une enveloppe froissée d'avoir transigé par trop de mains : une lettre de Bamako. Mamadi reconnait l'écriture de son père. Son cœur s'emballe. Avec sa mère, il la décachète en vitesse et ils la lisent à quatre yeux.

Ici, j'ai trouvé du travail. Bientôt, j'aurai l'argent qu'il faut pour continuer. Je partirai pour Tripoli. Je vous aime. À bientôt.

Le cœur battant, Mamadi se précipite dans la tente et consulte la carte. Il trace un trait imaginaire entre le camp et Bamako à l'aide de son index. Chaque fibre, chaque bosse dans le papier lui font imaginer une aventure, un exploit accompli par son père et Papillon. Il les imagine comme dans un conte de fées, échappant à des voleurs, secourant des orphelins. Il ignore tout des nuits à dormir à même le sol ou sur le trottoir, les petits boulots mal rémunérés et les horaires de dix-huit heures par jour. Tous les jours.

Il a des fourmis dans les jambes. De l'énergie à revendre.

Mais il ne court pas. Il sort plutôt et trace dans le sable une nouvelle lettre pour Fatima, une lettre pour lui dire les exploits de Papillon, pour lui dire qu'elle est à Bamako, Papillon ; une lettre que le vent emporte dans son sillage.

Les mois filent et les nuages passent en cortège dans le ciel. La pluie revient.

Mamadi n'a désormais plus besoin de rouler le bas de son pantalon. Il n'a revu ni Mohamed ni Abdoulaye depuis la nuit du pillage. Il y a de ça combien de temps ? Ont-ils la chance de grandir eux aussi ? Et dans quelles conditions ?

Il passe ses journées dans l'attente d'une nouvelle lettre, qui tarde à venir.

Quand il ne pense pas à ses amis.

Parfois, pour le tuer, le temps, il guide le bateau de papier que lui a laissé son père dans un ruisseau. Du bout du doigt, il lui fait franchir rapides et torrents jusqu'à la maison.

Chaque soir, après avoir recueilli l'eau de pluie dans des bouteilles vides, il trace une ligne invisible entre Bamako et Tripoli sur la carte suspendue au plafond et imagine avec sa mère les aventures de son père et de Papillon. Une traversée du désert interminable à dos de dromadaire dans une caravane de Touaregs et de longues nuits sous les étoiles; tout ça. Mais il ignore la guerre bien réelle, les tirs de mortier et tireurs embusqués, les tirs croisés, le passage des chars blindés, le pas cadencé des fantassins, les bombardements que son père a dû traverser pour se rendre sain et sauf au port de Tripoli.

Quand la pluie cesse, Mamadi cueille des fruits. Pour sa mère. Pour Élise. C'est une fête à chaque repas. Puis, il

court entre les tentes et rêve qu'il pourchasse un ballon sous les applaudisse-
ments d'une foule qui scande son nom
en insistant sur chacune des syllabes :
«Ma-ma-di, Ma-ma-di!» Et chaque jour,
il a espoir de voir réapparaitre un des
travailleurs du camp, une enveloppe à
la main. Une lettre pour lui.

Quand elle arrive enfin, son pantalon
ne couvre déjà plus ses chevilles. Il ne
parvient plus à en attacher le bouton à
sa taille.

*Je suis à Tripoli. Le voyage a été difficile.
J'embarque pour Lampedusa. Mon bateau
partira cette nuit, si tout va bien. Je vous
aime. À bientôt.*

Du bout de l'index, un trait sur la
carte reliant l'Afrique à cette ile qui
semble être sur le point d'être bottée par
l'Italie, comme un ballon dégagé vers
l'ouest par le gardien Alain Gouaméné.
Puis, il invente avec sa mère des histoires de pirates et de tempêtes que
Papillon affronte dans son bateau de

papier, et que lui, Mamadi, trace dans le sable. Pour Fatima. Des mots que le vent emporte. Toujours. C'est sans connaitre l'histoire de son père, celle bien réelle, avec ses vents soutenus à cent kilomètres-heures, ses grêlons gros comme le pouce et ses éclairs. Cette tempête qui s'est jouée du bateau surpeuplé, comme le chat cruel se joue d'une souris, et qui a fini par le faire chavirer, livrant à la mort des dizaines de personnes près des côtes d'Italie, que son père a surmontée, Papillon dans les bras. Seize heures agrippé à un rocher fouetté par les vagues et les embruns avant que l'hélicoptère des secouristes ne puisse le repêcher. Seize heures à répéter le nom de son fils : Mamadi. Seize heures à l'imaginer courant après un ballon et rire. À deux ans. À quatre. À six. À combien déjà ? Douze, très certainement.

Passetemps

Et les saisons s'enchainent. Dans l'attente, toujours. Mamadi espère une lettre de son père, une lettre qui ne semble pas vouloir venir. Qui la retient?

Pour se préserver du désespoir, Mamadi rêve de griot, d'arbre à palabres, d'oiseaux bleus. Sur la place poussiéreuse, les gens sont rassemblés et espèrent des paroles de sagesse qui ne viennent pas — au silence ne répond que le silence. Mamadi se trouve à l'arrière de la foule. Il tient la main de Fatima et elle, celle de Papillon. Devant eux, une horde d'adultes immobiles, fixés dans l'attente. Lui et Fatima font des pieds et des mains, s'étirent le cou afin de voir et d'entendre celui dont tous espèrent les paroles. Mais rien n'y fait. Il n'y a que le silence. Implacable. Il le fait la nuit, ce rêve.

Les jours où il en ressent la force, il sort se promener tandis que sa mère exécute des travaux de couture en échange de quelques sous, d'un peu d'eau ou de sucre. Parfois, il se rend à la petite école qu'on a érigée dernièrement dans un des quartiers du camp. Il est sans doute l'élève le plus vieux à s'assoir dans cette petite classe où il n'y a pas de vitres aux fenêtres. Trop grand dans ses habits trop courts. Ses genoux butent sur sa table. On n'y donne pas classe tous les jours, mais Mamadi ne manque pas une leçon. Et ses leçons, il les répète en les retraçant dans le sable, le soir, avec sa mère. Pour se prémunir contre la lassitude, Mamadi rêve de stades, de joueurs de soccer aux noms inventés, aux feintes plus spectaculaires les unes que les autres, de championnats imaginaires. Il s'imagine parmi eux en bottant des cailloux ou les déchets qui trainent.

Et la saison des pluies remplace la saison sèche. Encore.

Le saute-ruisseau

Mamadi rentre de l'école en bondissant entre les ruisseaux et les rigoles chargés de boue qui sillonnent les allées. Il s'agit d'un jeu autant que d'un moyen de se déplacer : il joue à saute-ruisseau comme d'autres joueraient à saute-mouton, ses pieds nus souillés de boue jusqu'à la cheville.

La leçon d'aujourd'hui portait sur un conte de Hans Christian Andersen : *Le petit soldat de plomb*. Mamadi s'est surpris à s'imaginer comme cette figurine lancée par la fenêtre sans raison par un jouet mesquin et que le destin finit par unir à la seule personne qui lui soit véritablement chère : une petite ballerine en papier blanc. Il y lit sa propre histoire. Bien sûr, Mamadi n'a jamais vu de maison à étages ni de bâtisse en pierres grises. Il n'a jamais vu de port non plus, encore moins de ports danois! Mais en sautant par-dessus les ruisseaux, il se voit en petit soldat de plomb bourlinguant dans son bateau de papier au gré du courant, s'éloignant chaque fois un peu plus de chez lui, et sachant que chaque écueil le rapproche davantage de son destin, du bonheur, de la paix. Loin de la crevasse provoquée par cette guerre absurde qui l'a jeté hors de chez lui, lui a dérobé sa mère, d'abord, son père, ensuite, et ses amis, un à un. Une crevasse qui les a engouffrés tous, lui y compris, mais qui jamais ne s'est refermée sur le ciel, son bleu et ses dessins dans les nuages. Et Mamadi se demande : s'il s'était agi de sa propre histoire, il en brillerait combien de paillettes au milieu de son cœur ?

Et c'est où, au juste, le Danemark ?

Il faudra bien le vérifier.

En rentrant.

Sur la carte.

En approchant de chez lui, Mamadi entrevoit une Land Rover blanche derrière le rideau de pluie. Une camionnette de l'ONU, comme celle qui l'a amené ici il y a… combien d'années ?

Mais qu'est-ce qu'elle fait devant la tente, cette voiture ?

Enfin des nouvelles ?

Enfin un message ?

Mamadi se sent des fourmis dans les jambes, des papillons volètent dans son estomac. Il court. Il vole ! Du plus vite qu'il peut.

Dans la tente, sa mère danse et chante à tue-tête. Mamadi la surprend à tourner et à rire en prononçant les mots de joie et d'espoir de sa ritournelle. Elle danse et elle tourne, Papillon dans les bras.

Épilogue

Mamadi, peu de gens connaissent son histoire. Pour ceux qui le voient courir dans le parc, il est d'abord et avant tout le numéro 10, ce grand garçon noir et élancé, la vedette du F.C., son club de soccer. Il est celui vers qui l'entraineur se tourne pour obtenir le but qui fera la différence. Celui dont les quelques spectateurs présents lors des matchs scandent le nom en insistant sur chacune des syllabes : «Ma-ma-di! Ma-ma-di!» Celui que les adversaires redoutent. Il a des feintes imprévisibles et des pieds en or, une détente pas possible. Au pied du pont Laviolette, il est bien loin des attentes interminables et de l'angoisse des aéroports. Loin aussi du sentiment mêlé d'excitation et de peur qu'il a ressenti quand les moteurs de l'avion l'ont arraché au sol africain. Loin des flocons qui tombaient silencieusement du ciel et qui ont mouillé sa peau quand il est arrivé à Montréal, brulants à force d'être froids, mais porteurs de la promesse des jours à venir. Il se souvient d'avoir couru dans le stationnement en riant. Puis, d'être monté dans une voiture et d'avoir roulé longtemps sur l'autoroute 40, longtemps dans ce paysage couvert de neige, parmi les champs assoupis. En observant par la fenêtre, il n'avait que le regard d'Élise à l'esprit et la promesse qu'elle lui avait soutirée avant qu'ils se quittent :

— Sois heureux, Mamadi. C'est important pour moi et pour tous ceux qui n'ont pas ta chance ici. Promets-moi que tu feras tout en ton possible pour accomplir tes rêves. Fais-le pour moi. Fais-le pour eux.

Et il avait répondu :

— Promis.

Ils s'étaient quittés les larmes aux yeux. Mais sans tristesse.

Il se souvient de l'immensité du lac Saint-Pierre à sa droite, puis de la chaleur émanant de cette grande maison toute de bois et de plâtre où il a emménagé avec sa famille. De cette tablette au mur de sa chambre, une chambre pour lui tout seul, où s'accumulent désormais les trophées sur lesquels veille Papillon.

Coup franc au centre du terrain. C'est Carignan qui va l'exécuter.

Mamadi se positionne en fonction des gestes que lui adresse son entraineur. Encore un peu à gauche. Pas là. Juste un peu plus loin.

Il fait beau. Chaud aussi. Une légère brise souffle la fraicheur du Saint-Laurent, ce fleuve omniprésent, comme le ciel dans ce pays d'eau. Mamadi lève les yeux un instant, observe les nuages qui défilent sur fond d'azur.

Passe un geai bleu. En silence. Il multiplie les coups d'aile et se pose enfin sur la branche d'un érable qui fait de l'ombre aux estrades. Mamadi le suit des yeux. Il aime les arbres et les oiseaux. Il les a toujours aimés.

Quelques profondes inspirations et, après s'être passé la main sur le front pour essuyer les perles de sueur, Mamadi retrouve sa concentration.

C'est aujourd'hui la finale U-14 des régionaux. Le pointage est égal. Un match dur. Une bataille de tous les instants. Le gagnant se rendra à Montréal pour la coupe provinciale et, de là, ce sera peut-être le championnat canadien. Mais tout ça est encore loin. Il y a d'abord cette partie à gagner.

Il repère ses coéquipiers, analyse la formation de l'adversaire.

Carignan s'exécute. Le ballon vole dans les airs. Il est pour le petit Loranger, un joueur rapide, un as du drible. La défensive bouge, met de la pression sur Loranger.

Il a besoin d'aide.

Mamadi se déplace. Il doit se défaire de ce défenseur qui le suit partout

comme une ombre. Dont il sent le souffle derrière son cou. Qui lui parle sans
arrêt et qui le bouscule dès qu'il en a
l'occasion.

— C'est pas un terrain de foot! Ici,
c'est un champ de bataille et tu ne peux
pas gagner!

Mais Mamadi n'en a cure. Dans son
esprit, il a déjà gagné.

Et ça n'a rien d'une guerre. C'est une
partie de plaisir.

Entre chacun des brins d'herbe, il
voit l'ocre de la terre. Il a dans la tête
les voix de Mohamed et d'Abdoulaye et,
surtout, le rire de Fatima. Il les voit courir tous trois à gauche, à droite, leurs pas
inscrivant sur le sol des tracés invisibles.
Mamadi se laisse guider par eux.

Loranger a perdu le ballon, sitôt
dégagé par l'adversaire. En l'air une fois
de plus. Carignan le reprend de la tête.
Le passe de nouveau à Loranger.

Mamadi a déjà vu cette scène quelque part. Sans doute lors d'une de ses

rêveries pendant une leçon de monsieur Koité ou au cours d'une de ces scènes où il se prenait pour Didier Drogba.

C'est un sentiment étrange que de revivre un évènement dont on a déjà fait l'expérience. Ça lui est arrivé l'autre jour en regardant par la fenêtre en classe de math. Il y avait deux vieillards qui discutaient sur un banc, mais ce n'est pas là l'important.

— Dites-moi, monsieur Mamadi, est-ce que je vous ennuie? Joignez-vous à nous quelques instants, venez nous rejoindre sur la terre des vivants, vous nous manquez un peu.

C'étaient les mots de monsieur Koité, cette fois prononcés par madame Lampron.

Ça lui a rappelé une comptine.

Un souvenir étrange.

Loranger exécute un pas à gauche, puis une talonnade, pivote, se défait de son couvreur et part à toute vitesse. Mamadi doit distancer cette brute qui ne le lâche pas d'une semelle sans provoquer de hors-jeu. Il court, bondit, tourne sur lui-même.

Une étincelle éclaire l'œil du garçon.

Appel de ballon.

Passe de Loranger au centre du terrain, un lob en direction du numéro 10.

Et il détale, le numéro 10. Il a maintenant une, deux, trois enjambées d'avance sur le défenseur qui le pourchasse.

Le gardien adverse se déplace. Le ballon bondit devant lui. Mamadi saute en avant et, du pied gauche, botte à la volée.

Le gardien plonge.

Trop tard.

Les cordages s'agitent.

La foule s'anime, ce n'est qu'un bruit de fond. Mamadi lève les bras et cherche ses parents assis sous ce grand arbre qui fait de l'ombre à l'assistance. Il sourit au sourire de son père et il sait que, dans les yeux de sa mère, brillent des constellations. Il est Didier Zokora. Il est Didier Drogba. Et c'est comme rêver les yeux ouverts...

Table des matières